Serie Bianca Feltrinelli

CURZIO MALTESE
LA QUESTUA
QUANTO COSTA LA CHIESA AGLI ITALIANI

Con *Le ragioni di un'inchiesta*
di Ezio Mauro

Con la collaborazione di Carlo Pontesilli e Maurizio Turco

© Giangiacomo Feltrinelli Editore Milano
Prima edizione in "Serie Bianca" maggio 2008

ISBN 978-88-07-17149-9

Carlo Pontesilli è fiscalista in Roma, esperto di privilegi ecclesiastici e promotore in Italia e in Europa di iniziative volte alla loro eliminazione, radicale.

Maurizio Turco è vicepresidente vicario del Partito radicale nonviolento transnazionale transpartito, segretario dell'associazione www.anticlericale.net, deputato radicale, già deputato europeo.

Si ringrazia "la Repubblica" per aver consentito la riproduzione di alcune delle tabelle che compaiono in fondo al volume.

Le ragioni di un'inchiesta

di Ezio Mauro

Prendere parte al discorso pubblico, quindi al divenire e al formarsi della vicenda civile, culturale e politica del nostro paese. È la grande questione d'inizio secolo che la religione pone alla società e alle istituzioni, ai soggetti attivi – ufficiali o spontanei – di quel circuito di valori, interessi, tradizioni, idee e culture nel quale si forma e si trasforma il senso comune di una nazione e nasce quel fattore delicatissimo e cruciale di ogni democrazia contemporanea, che si chiama pubblica opinione.

La religione, come dice il suo stesso insegnamento, chiede in questo caso ciò che già ha ottenuto. O meglio, ciò che – in termini di spazio, considerazione, influenza – ha da sola riconquistato anno dopo anno nelle coscienze delle persone e nella discussione civica del paese, rimontando quel disincanto del secolo scorso, che ci aveva fatto considerare la fede come un fenomeno confinato alla sfera personale e alla dimensione privata di uomini e donne. In tutto l'Occidente, questa operazione attraverso cui – come dice Habermas – le tradizioni religiose e le comunità di fede "hanno guadagnato un nuovo e inatteso significato politico" è in corso, o è addirittura compiuta, sia pure con esiti diversi, dai teo-con americani dell'era Bush al peso crescente delle Conferenze episcopali in Spagna e in Italia.

Nessuno pensa naturalmente di poter negare ciò che è in atto, dall'inizio del secolo, sotto gli occhi di tutti. E tuttavia, pretendere lo spazio che già si occupa è una rivendicazione significativa per la religione, dal punto di vista culturale e politico, perché è la dichiarazione di voler svolgere una funzione, di voler ricoprire un ruolo, nella competizione-collaborazione con altre agenzie valoriali, culturali, di interessi legittimi che si dividono e si contendono la travagliata agorà italiana di questo inizio secolo.

C'è però una questione, a questo punto, che non è stata ancora posta, o almeno non con l'attenzione che merita, perché è una questione cruciale. Ovviamente, la scala di valori e il messaggio di vita che la religione testimonia non cambiano nel passaggio dalla dimensione privata del rapporto di fede alla dimensione pubblica. Ma la fede stessa si fa discorso pubblico nel momento in cui passa dal rapporto individuale alla comunità intera, e viene usata anche come strumento identitario e culturale. In questo passaggio, semplicemente, la religione non parla solo ai credenti in quanto tali, parla ai cittadini, perché ritiene che il suo messaggio non valga soltanto per l'anima dei fedeli, ma anche per il corpo sociale nel suo insieme: in quanto costituente di un'identità collettiva basata sulla ricerca di un senso morale per l'esistenza, che la religione ritiene di custodire più di qualsiasi altro attore pubblico nel suo deposito di tradizione.

Ma proprio qui nasce un problema. C'è una regola, che disciplina e governa lo spazio pubblico, ed è la regola della democrazia. E la democrazia amministra il peso e il ruolo di ogni soggetto con il ricorso al numero, vale a dire con il computo della maggioranza, senza distinguere tra Verità e verità, tra dogmi e ideologie, tra magistero e leadership, tra la vita eterna e lo spazio di una legislatura. In sintesi, la democrazia non contempla l'Assoluto, e nel suo spazio – soprattutto quello istituzionale e segnatamente quello parlamentare – tutte le verità sono relative e ognuna ha il diritto di espressione di fronte ai cittadini, cui spetta la potestà suprema di scegliere in libertà.

Per tutta la prima Repubblica, la politica ha saputo esercitare una sua autonomia nel nostro paese, garantita per lunghissimi periodi anche dai leader cattolici che hanno retto lo Stato e il governo. La Chiesa cattolica ha dispiegato con altrettanta libertà la sua missione, con una testimonianza che dev'essere destinata alla coscienza dei credenti e a quanti riconoscono al cattolicesimo un'autorità morale con cui confrontarsi: sapendo che la scelta politica in quanto tale – e ancor più la decisione parlamentare – è demandata all'autonoma decisione dei laici, credenti e non credenti, sotto la loro responsabilità.

Oggi nessuno mette in discussione formalmente quel principio di libertà e di autonomia della politica e della legislazione. Ma sembra riemergere la *potestas indirecta in temporalibus* del cardinale Bellarmino, quando la gerarchia ecclesiastica rivendica il diritto di ingerirsi nelle competenze statuali, se c'è una motivazione religiosa che lo chiede. Non solo. La Chiesa porta sempre più la sua precettistica morale a coincidere con il diritto naturale, sostiene che nella religione sono incapsulati potenziali di significato a cui le società laicizzate non riescono ad attingere, perché non hanno al loro interno le risorse morali necessarie: dunque il cattolicesimo rischia di trasformarsi da religione delle persone in religione civile, con la conseguenza che i numeri non contano, perché se il cristianesimo – come vuole Ruini – è nel nostro paese una sorta di senso comune, un substrato antropologico, una specie di "natura" italiana, allora a tutto ciò si può trasgredire solo con leggi che diventano automaticamente contro natura, dunque sono contestabili alla radice.

È la difficoltà del cattolicesimo a farsi "parte", ad andare in minoranza insieme con i suoi valori nel libero gioco democratico, davanti allo Stato, ad accettare il principio secondo cui in democrazia tutte le verità sono parziali, perché non esiste una riserva superiore di Verità esterna al confronto democratico, né esiste una qualsiasi forma di obbligazione religiosa a fondamento delle leggi della Repubblica.

È in questo spazio contrastato del pubblico dibattito che è nata l'inchiesta di Curzio Maltese sulle pagine di "Repubblica". Con un approccio nient'affatto ideologico, ma concreto, che muove dalle cose per misurare la dimensione sconosciuta della presenza terrena e quotidiana di un soggetto così rilevante nel paesaggio pubblico come la Chiesa cattolica. Anzi, l'inchiesta muove proprio da questa presa d'atto del nuovo ruolo e della nuova funzione della Chiesa nello spazio pubblico italiano. Chi fa parte – e giustamente lo rivendica – di quello spazio, ne è in qualche modo soggetto alle regole e alle abitudini, accetta di essere misurato con quel metro, a cui nessun soggetto del confronto culturale e politico può sottrarsi. E invece, l'inchiesta ha incontrato una forte opposizione e una reazione a catena sui giornali cattolici, fino a scuotere i Sacri Palazzi, con il cardinal segretario di Stato della

Santa Sede che ha pronunciato un giorno il suo mo-
nito, inconsueto per le abitudini della libera stampa
in Occidente: "Finiamola".

Naturalmente l'inchiesta non è finita, ma si è svi-
luppata per settimane secondo il piano di lavoro pre-
stabilito, indagando i diversi aspetti del costo della
Chiesa per i contribuenti italiani, e raccontando anche la vastità dell'impegno cattolico per le opere di carità, in Italia e all'estero: ritenendo che persino in Italia sia legittimo affrontare questi temi giornalistica-
mente molto poco frequentati, con l'unico obiettivo di
conoscere e capire. L'inchiesta, dunque, è diventata un
elemento di un problema molto più complesso: il rapporto tra fede e democrazia, in un paese come l'Italia.

La questua

Quanto costa la Chiesa agli italiani

Prima di cominciare

In quasi trent'anni di giornalismo, avevo felicemente ignorato il Vaticano e avrei continuato a farlo se non fosse stata la Chiesa cattolica a occuparsi molto, troppo, di me. E di altri cinquantotto milioni di connazionali. Il papa e i vescovi intervengono nella vita pubblica italiana – perfino nel dettaglio delle singole leggi – molto più di quanto non faccia l'Unione europea, alla quale siamo vincolati. Per quanto mi riguarda, ho voluto restituire la premura. Da anni, i corrispondenti esteri a Roma mi ripetono la stessa cosa: "Voi giornalisti italiani siete capaci di scrivere poemi sull'ultima mezza calza della politica e ignorate l'influenza della Chiesa. Mentre per noi una notizia sul papa vale venti volte una sulla crisi di governo. Il Vaticano è troppo importante per lasciarlo ai vaticanisti". Ogni mattina saluto il mio vicino di casa, Udo Gumpel, della tv pubblica tedesca, che esce per andare alla sala stampa vaticana. Ormai è diventato un esperto di teologia ratzingeriana: "Avete San Pietro in casa e nell'archivio Rai non ho trovato un'inchiesta sul Vaticano, soltanto messe e interviste ai vescovi. Se scoppia uno scandalo, come la pedofilia, dovete comprare i documentari della Bbc". Ho toccato con mano la rimozione del problema quando ho cercato di documentarmi sui finanziamenti pubblici alla Chiesa cattolica: in quasi ottant'anni dal Concordato, non era mai stata fatta un'inchiesta sul tema.

Esistono naturalmente molte belle inchieste sulle finanze vaticane, quasi tutte però fra gli anni sessanta e la fine dei settanta. Dallo scandalo Ior-Ambrosiano l'attenzione si attenua fino a spegnersi. Negli articoli di Ernesto Rossi su "Il Mondo" ho trovato molte tracce utili e una riflessione della quale ho verificato la stringente attualità. Sul numero del 17 maggio 1960, Rossi scrive: "Quando si tratta della 'roba' i monsignori del Vaticano hanno la pelle delicata come quella della principessina che non riuscì a chiudere occhio tutta la notte per il pisello che le avevano messo sotto sette materassi. 'L'Osservatore Romano' ha incassato in silenzio la documentazione, da me portata per dimostrare che Pio XII è stato uno dei maggiori responsabili della Seconda guerra mondiale; ma ha reagito violentemente alla mia moderatissima osservazione che la politica reazionaria della Chiesa e la sua stretta alleanza con la Confindustria devono essere considerate anche un effetto dell'ingigantimento del patrimonio della Santa Sede e degli ordini religiosi che hanno avuto in pratica le clausole finanziarie contenute nei Patti Lateranensi, e una conseguenza degli investimenti massicci fatti dalla Santa Sede e dagli ordini religiosi in partecipazioni azionarie delle società elettriche e degli altri maggiori gruppi che sfruttano monopolisticamente il mercato nazionale. Tali affermazioni, scrive 'L'Osservatore Romano', 'destano un sentimento di pena prima che di sdegno, infatti rivelano una mente chiusa alla comprensione di quanto trascende l'interesse materiale e contingente; incapace, dunque, di misurare la realtà che contempla con il metro del proprio squallore'". A distanza di quasi mezzo secolo, l'atteggiamento della Chiesa quando si tocca la "roba" non è cambiato di una virgola.

Circa un anno fa, colpito dal volume di fuoco scatenato ogni giorno contro il governo Prodi dalle gerarchie ecclesiastiche, in un viavai di tonache sui telegiornali pubblici e privati, mi sono rivolto a un amico prete, cui mi legano stima e affetto. Uno che ha dedicato la vita alla lotta alla povertà, all'ignoranza e alla mafia, come io non sarei mai capace di fare. La risposta, nel tono spiccio del personaggio, è stata: "I vescovi fanno politica. Non vogliono il centrosinistra e si danno da fare per far cadere il governo. Vedrai che alla fine la vera spallata a Prodi la daranno loro".

Con un candore ormai perduto, avevo allora chiesto la ragione di tanto odio politico nei confronti del cattolicissimo Romano Prodi e di un centrosinistra assai timido sui temi della laicità, certo più vicino del berlusconismo agli ideali cristiani di solidarietà. "Nessun odio, semmai convenienza," è stata la risposta. "Il fatto è che da quegli altri i vescovi ottengono molto di più."

Mi sono ricordato di quelle parole nelle convulse settimane che hanno preceduto la caduta del governo Prodi. Travolto da una "spallata" finale dei vescovi. L'episodio più noto è la mancata visita del papa all'Università La Sapienza di Roma. Un caso da manuale; di più: da antologia storica del machiavellismo, di come si fabbrica un caso politico.

L'idea di chiamare Joseph Ratzinger a inaugurare in novembre con una *lectio magistralis* l'anno accademico 2007-2008 è del magnifico rettore della Sapienza, Renato Guarini. Docente di statistica, eletto rettore "di transizione" nel 2004, indagato dalla procura di Roma in una parentopoli che coinvolge le due figlie e un genero, Guarini andrà in pensione a giugno 2008 e vuol chiudere in bellezza con un colpo spettacolare e segreto – l'arrivo del Santo Padre – la grigia stagione alla guida dell'Università romana. Il progetto lo tiene per sé, senza comunicarlo al senato accademico, come sarebbe d'obbligo. Ma il segreto regge poco, la notizia si sparge e il rettore è costretto a una maldestra retromarcia. Convocato il senato accademico, il 23 ottobre Guarini conferma l'invito al papa, ma con una robusta virata dalla *lectio magistralis* a un "saluto alla comunità accademica". In sette secoli di storia, la tradizione vuole che sia un professore della Sapienza a tenere la lezione dell'inaugurazione accademica ("È l'equivalente di una relazione a un consiglio d'amministrazione," spiega lo storico Nicola Tranfaglia). Mai un esterno: si tratti del papa, di un imam, di un politico o di un premio Nobel. Non esiste d'altra parte Università al mondo, compreso l'Islam, dove a un rettore sia venuto in mente di affidare l'avvio dell'anno accademico a un'autorità religiosa – con l'eccezione ben comprensibile dell'Università di Ratisbona, dove Joseph Ratzinger è intervenuto in qualità di illustre ex allievo e professore. Per questo pasticcio, l'inaugurazione slitta da novembre 2007 al 17 gennaio 2008. La trovata è dunque giudicata dallo stesso rettore nei fatti incongrua, come scriveranno poi i professori di Fisica, impiccati dai media a quell'aggettivo. Altrimenti, perché ripiegare subito sul "saluto"?

Quando Marcello Cini, docente di Fisica, eminente scienziato allievo di Edoardo Amaldi, scrive la famosa lettera aperta al rettore pubblicata da "il manifesto" (*Se la Sapienza chiama il papa e lascia a casa*

Mussi), siamo al 14 novembre e il programma dell'inaugurazione non è ancora chiaro al corpo docente. Come si evince benissimo dall'incipit della lettera: "Apprendo da una nota dell'agenzia Apcom che è cambiato il programma d'inaugurazione dell'anno accademico...". Uno dei più importanti docenti del corso di Fisica è dunque costretto ad arrangiarsi con le agenzie di stampa per capire che cosa sta succedendo.

Dunque chiede lumi. Davvero il rettore aveva intenzione di far inaugurare l'anno accademico dal papa? Cini osserva correttamente che anche dal punto di vista formale non sarebbe possibile inaugurare l'anno con una lezione di una materia, la teologia, "di cui non v'è traccia da molto tempo nelle moderne Università". Subito dopo, si lancia in un excursus sulla storia della Sapienza e sul valore della laicità nelle istituzioni pubbliche, il cui difetto principale non è certo l'arroganza, semmai una commovente naïveté. Infine, conclude ricordando al rettore che il giorno dopo la visita di Ratzinger, quale che sarà la formula annunciata, i giornali titoleranno: *Il papa inaugura l'anno accademico alla Sapienza*. In pratica, nei modi un po' prolissi dei professori, Cini non chiede di non far parlare il papa, ma di invitarlo in un'occasione diversa. Una volta ammesso davanti al senato accademico l'errore iniziale, confermare la presenza di Benedetto XVI, sia pure in forma di "saluto", è soltanto una furbata. Il giorno dopo, letto "il manifesto", altri sessantasette professori di Fisica aderiscono alla richiesta di Cini con una lettera privata al rettore. Poche righe per testimoniare solidarietà al professore e ricordare che Joseph Ratzinger, in un discorso del 1990, citando Feyerabend aveva definito "giusto e ragionevole" il processo a Galileo. Lo stesso processo per il quale nel

1992 la commissione pontificia voluta da Giovanni Paolo II e presieduta dal cardinale Poupard aveva chiesto scusa, dopo undici anni di lavori e con trecentosessant'anni di ritardo sull'orologio della Storia.

I tempi sono importanti. Quando i sessantasette fisici sottoscrivono l'appello, mancano ancora due mesi alla data stabilita. Per due mesi, il rettore Guarini non risponde né a Cini né ai professori e tiene la lettera nel cassetto, con lo stesso metodo – in verità poco democratico – usato nei confronti del senato accademico. Ma a quattro giorni dal fatidico 17 gennaio, una "manina" preleva la lettera dal cassetto del rettorato e la diffonde ad agenzie, giornali e telegiornali.

Gli ingenui professori sono pronti per il massacro mediatico. La sensata e quasi ovvia richiesta di Cini di separare la visita del Santo Padre dall'inaugurazione dell'anno accademico diventa una "insopportabile censura", un "bavaglio". L'appello privato scritto due mesi prima dai sessantasette professori al rettore trasfigura in una chiamata all'insurrezione studentesca da parte di "cattivi maestri". I piccoli gruppi studenteschi di discussione sorti intorno al tema della laicità, con qualche tratto di anticlericalismo goliardico, vengono dipinti dagli inviati dei giornali sul "fronte della Sapienza" come bande paramilitari "pronte a scatenare l'inferno". "Un partito incazzato e con la bava alla bocca," scrive "Il Giornale". Il riferimento storico più gettonato è alla cacciata di Luciano Lama dalla Sapienza, nel febbraio del 1977, in mezzo a scontri violenti fra polizia e Autonomia operaia, manganellate, sassi, fumogeni e P38. Il terrorismo mediatico procede con sprezzo del ridicolo, ma ottiene di essere preso fin troppo sul serio dal già pericolante governo Prodi. Nei giorni in cui è difficile reperire forze dell'ordine per sgomberare le montagne di rifiuti a Napoli e dintorni, il ministro degli Interni Giuliano Amato stanzia un esercito di duemila fra carabinieri e poliziotti per difendere Benedetto XVI dalla minaccia rappresentata da una settantina di scienziati e duecento studenti con il pallino fuori moda della laicità. Nonostante un sopralluogo delle autorità di sicurezza italiane e vaticane abbia escluso nella maniera più categorica "il rischio anche minimo di attentati o di attività terroristiche".

La missione militare decisa dal governo – a conti fatti, il doppio del contingente stanziato in Afghanistan – non basta tuttavia a tranquillizzare la Santa Sede. Alla vigilia della visita, la sala stampa vaticana annuncia il ripensamento di Benedetto XVI. È la terza volta in trent'anni che un papa rinuncia per motivi di sicurezza a una visita programmata. Le due precedenti, era toccato a Giovanni Paolo II annullare una visita all'ultimo istante, ma le mete avrebbero dovuto essere rispettivamente Sarajevo e Beirut, nel mezzo della guerra civile.

La notizia scatena un'ondata d'indignazione, violentissima nei toni. Un plotone bipartisan si dedica all'esecuzione dei "cattivi maestri". I quali, nel frattempo, hanno invano gridato ai quattro venti di non essere mai stati contrari a una visita papale alla Sapienza (avevano già accolto senza problemi Giovanni Paolo II), ma soltanto alla manovra del rettore. Nessuno ormai li ascolta. Sono una "banda di lestofanti e cialtroni", "fascisti", "fanatici", "istigatori alla violenza". Il rovesciamento di ruoli è perfetto. Il papa che difende la "ragionevolezza" della Santa Inquisizione diventa vittima dell'intolleranza di scienziati preoccupati di salvaguardare la laicità della scuola pubblica e per questo accusati dal capo dei vescovi italiani, Angelo Bagnasco, di "oscurantismo laicista". Il rettore Guarini assurge al ruolo di eroe del dialogo, ostaggio di un pugno di colleghi scalmanati. Uno dei migliori gruppi di docenti dell'Università italiana decade, nelle parole di Massimo Cacciari, a combriccola di "cretini che dovrebbero tacere per i prossimi vent'anni". "Quattro scalzacani certo meno colti del professor Ratzinger," secondo l'ex presidente Francesco Cossiga. In nome della libertà di opinione, si reclamano epurazioni. L'ex ministro di An Maurizio Gasparri intima al governo e in particolare al ministro dell'Istruzione Fioroni, ultrà cattolico, di "fare piazza pulita" nella facoltà di Fisica della Sapienza. Classifiche alla mano, si tratta di una delle quattro facoltà scientifiche italiane inserite ai primi posti nelle graduatorie continentali, accanto a Oxford e Cambridge. Il Senato congela subito la nomina (già approvata) alla direzione del Cnr di Luciano Maiani, ex direttore del Cern di Ginevra (organizzazione europea di ricerche nucleari) e uno dei nostri scienziati più stimati dalla comunità internazionale, ma colpevole di aver firmato l'"infame appello".

Nel pieno della colluttazione, viene naturale a pochi parteggiare per lo sparuto e candido drappello di scienziati bollati come "violenti" e bersagliati di insulti dall'intera nomenklatura italiana, dalle tre grandi caste dominanti: politica, clero e media. C'è da chiedersi in quale altro paese vi sarebbe stata una così evidente sproporzione in campo, un così chiaro trionfo di un pensiero unico avverso al valore fondante della laicità. Laicità, non "laicismo". Perché in Italia le polemiche sono soltanto nominalistiche: basta applicare un'etichetta agli argomenti altrui ed è fatta. Certo, la manipolazione del "caso Sapienza" è stata resa più semplice dal clima culturale di un paese dove l'odio per gli intellettuali, e in particolare per gli scienziati, è largamente diffuso. Siamo la nazione che spende meno in Occidente per la ricerca e più d'ogni altra per finanziare la Chiesa, esportiamo cervelli e importiamo santi e maghi. L'opinione pubblica si è mostrata più indignata per la raccomandazione politica di una valletta che di un primario di chirurgia. Di fronte ai grandi problemi nazionali – si tratti delle fonti di energia rinnovabili o dello smaltimento dei rifiuti, del Ponte sullo Stretto o di alta velocità – gli scienziati, le eccellenze del paese, sono gli ultimi a essere interpellati dal circo mediatico-politico. Molto dopo improvvisati comitati civici, ambientalisti della domenica, assessori analfabeti, attricette e comici populisti. Quanto piaceva all'Italia delle prime file, da Berlusconi a Beppe Grillo, credere che un vecchio medico, il professor Di Bella, nel suo piccolo laboratorio di provincia avesse scoperto la cura contro il cancro, alla faccia delle migliaia di oncologi al lavoro nei grandi centri di ricerca del pianeta, fra i quali centinaia di giovani italiani costretti a emigrare? La natura perfettamente ideologica del dibattito sul caso Sapienza, a prescindere dai fatti concreti, testimonia, anzi, fotografa l'immagine di un'Italia dove il pregiudizio contrario alla scienza e quello favorevole alla religione camminano di pari passo.

Chiudo la parentesi e torno ai fatti. L'inaugurazione dell'anno accademico della Sapienza, senza benedizione papale, si svolge giovedì 17 gennaio sotto una pioggia battente e in uno scenario surreale. Duemila agenti dell'ordine in assetto antisommossa con caschi e scudi sorvegliano i corridoi deserti e i piazzali vuoti dell'Università. Nell'aula magna molte sedie sono libere, i presenti non arrivano a trecento, fra i quali quaranta studenti ciellini, imbavagliati con un nastro nero per protesta. All'ingresso dell'Università, trenta militanti giovanili di An distribuiscono volantini di solidarietà al papa. Fuori, trecento dei Cobas – quasi nessuno studente –, capitanati dal rivoluzionario di professione (con vitalizio da parlamentare) Francesco Caruso, si incaricano di fornire spunti utili all'informazione di destra con slogan truculenti.

Le gerarchie cattoliche hanno intanto deciso di sfruttare il caso Sapienza per mettere sul banco degli imputati il governo Prodi. Il cardinale Camillo Ruini vuol trasformare l'*Angelus* domenicale in una grande manifestazione di solidarietà a Benedetto XVI. La domenica del 20 gennaio diventa un'adunata politica: duecentomila persone, con molti militanti di partito mischiati alle associazioni cattoliche, e slogan antigovernativi. In prima fila è schierato mezzo vertice dell'opposizione di centrodestra: gli ex presidenti di Senato e Camera, Marcello Pera e Pierferdinando Casini, i portavoce di Forza Italia e di An, Fabrizio Cicchitto e Andrea Ronchi, Giovanni Alemanno di An e Mario Borghezio della Lega Nord. Il solito Rocco Buttiglione non manca di ricordare che il governo dovrebbe presentare le scuse al segretario di Stato vaticano, monsignor Tarcisio Bertone, per aver offeso il capo di uno Stato estero. Il fine giurista Buttiglione non si era ricordato della qualifica di Bertone quando il cardinale, a più riprese, aveva criticato il sistema fiscale italiano. Che cosa accadrebbe se un altro capo di Stato straniero, poniamo Sarkozy o Zapatero, dichiarasse che in Italia si pagano troppe tasse?

Il più osservato dei politici presenti all'*Angelus* è tuttavia un esponente del governo, anzi, un ex esponente, Clemente Mastella. Appena dimessosi dalla poltrona di ministro della Giustizia per l'arresto della moglie, Mastella offre ancora l'appoggio alla maggioranza in cui è stato eletto. È circondato da migliaia di militanti di destra che gli urlano: "Clemè, buttalo giù! Butta giù Prodi!". Il giorno dopo, Mastella comunica l'uscita dell'Udeur dalla maggioranza, in pratica decreta la fine del governo Prodi. Aggiunge di aver avuto "l'illuminazione dalla folla di San Pietro". Poche ore prima, si era consultato con il capo dei vescovi italiani, monsignor Bagnasco, il quale il giorno stesso rilascerà un'intervista in cui parla dell'Italia come di "un paese ridotto a coriandoli".

Nella sera di lunedì, sempre Angelo Bagnasco accusa ufficialmente il governo Prodi di aver suggerito per primo l'annullamento della visita del papa, "non potendo garantire la sicurezza". Seguono le amare riflessioni sull'ondata di "oscurantismo laicista" che in Italia ha messo il bavaglio al Santo Padre. Il governo Prodi replica subito, con una nota ufficiale, di "non aver mai suggerito alle autorità vaticane di cancellare la visita di papa Benedetto XVI all'Università La Sapienza". Aggiunge particolari: "Sia il presidente del Consiglio che il ministro dell'Interno, dopo la riunione del comitato provinciale per la sicurezza e l'ordine pubblico, alla quale erano presenti anche responsabili della gendarmeria vaticana, hanno infatti comunicato alle autorità locali che lo Stato italiano garantiva assolutamente la sicurezza e l'ordinato svolgimento della visita del Santo Padre".

Si tratta naturalmente di credere all'uno o all'altro, alle parole del cardinale o a quelle del premier. Ma i fatti nudi non lasciano molti dubbi. I duemila carabinieri e poliziotti schierati per l'occasione offrivano una garanzia assoluta contro le due o tre centinaia di contestatori previste e poi confermate dalle cronache dell'inaugurazione. Per tornare al paragone storico più citato, la cacciata di Lama dalla Sapienza – il 17 febbraio 1977 –, basta ricordare che allora i poliziotti erano soltanto trecento, presto spazzati via dai diecimila contestatori, già organizzati nella struttura paramilitare di Autonomia operaia e capeggiati da alcuni futuri brigatisti. Che cosa avrebbe potuto fare di più il governo per rassicurare il Vaticano? Spedire alla Sapienza anche la Folgore, l'aviazione e il battaglione San Marco?

Quanto al "bavaglio al papa" che – per tornare alle affermazioni del capo dei vescovi – la società italiana avrebbe messo "negli ultimi tempi", forse è meglio citare qualche dato ufficiale. Dal giorno dell'elezione a pontefice di Benedetto XVI, 19 aprile 2005, a quello della mancata visita alla Sapienza, 17 gennaio 2008, il primo telegiornale pubblico, il Tg1, ha riservato al Santo Padre e alle gerarchie cattoliche 27 ore di informazione. Una volta e mezzo il tempo dedicato ai presidenti del Consiglio Silvio Berlusconi e Romano Prodi (18 ore), e più del doppio di quello riservato ai presidenti della Repubblica Carlo Azeglio Ciampi e Giorgio Napolitano (13 ore). Sul Tg2, la Chiesa cattolica ha ottenuto 20 ore, come l'intero governo, quasi il doppio di Berlusconi e Prodi (12 ore) e due volte e mezzo più di Ciampi e Napolitano (8 ore). Sulle reti pubbliche, la Chiesa cattolica ha in media il 99,8 per cento dello spazio dell'informazione religiosa, con lo 0,2 a tutte le altre confessioni: in palese violazione dei diritti costituzionali e contro la prassi di tutte le nazioni anche a forte maggioranza cattolica, come Spagna, Irlanda e Polonia. Non si può non ricordare a questo punto una scena del film *Lamerica* di Gianni Amelio, dove due albanesi discutono su chi sia più importante in Italia fra il papa e il presidente della Repubblica: "Appare molto di più in televisione, quindi il papa conta di più".

Quale che sia la verità sul caso della Sapienza, la strumentalizzazione politica è evidente e di successo. Il 24 gennaio 2008 – il giovedì successivo all'adunata di San Pietro –, il governo Prodi cade per il voto decisivo dei gruppi di Clemente Mastella e Lamberto Dini, assai vicini al Vaticano. L'ipotesi di varare una nuova maggioranza e un governo istituzionale per le riforme, guidato dal presidente del Senato Franco Marini, svanisce quando il leader dell'Udc Pierferdinando Casini, in un primo momento favorevole, annuncia la propria volontà di andare subito al voto anticipato. Casini si era consultato il giorno stesso con il suo "consigliere spirituale", il cardinale Camillo Ruini. È la "spallata" finale di un processo di mesi e anni. Mesi e anni in cui le gerarchie cattoliche, dal papa in giù, non hanno mancato di criticare l'operato del governo di centrosinistra quasi ogni giorno, sia pure con l'aria di parlar d'altro, di questioni etiche o religiose.

Con alcuni picchi polemici davvero sorprendenti anche nella tradizione d'ingerenza della Chiesa cattolica negli affari interni italiani. Per esempio, le critiche del segretario di Stato Tarcisio Bertone alla "eccessiva pressione fiscale", già citata, o la lezione di buona amministrazione impartita da papa Ratzinger a Walter Veltroni, sindaco della capitale e capo del Partito democratico. A partire dalla "sofferenza del pon-

27

tefice e vescovo di Roma per il degrado della sua città". Degrado nel quale il Vaticano – assai più potente, nella Città Eterna, del Campidoglio – forse potrebbe assumersi qualche responsabilità, come si vedrà nel capitolo dedicato alle due sponde del Tevere.

In realtà, in Italia il rapporto fra Stato e Chiesa non è di reciprocità. La Chiesa può intervenire quando vuole negli affari interni italiani, mentre il contrario è vietato dall'articolo 11 del Concordato: "Gli enti centrali della Chiesa sono esenti da ogni ingerenza da parte dello Stato italiano". Le gerarchie ecclesiastiche, dall'alto di un magistero morale, possono dunque giudicare criminali le leggi dello Stato, criticare la pressione fiscale, mettere sotto accusa una Regione o un Comune per un'apertura sui diritti degli omosessuali, e allo stesso tempo invocare contro le eventuali (in verità, scarse) reazioni la protezione del Trattato. Il Vaticano è uno Stato estero che vive grazie all'Italia, ma ha il diritto di sputare nel piatto in cui mangia. Se davvero le questioni etiche – il divorzio, l'aborto, la procreazione assistita, le coppie di fatto – fossero così centrali e dunque non negoziabili, la Chiesa non dovrebbe più accettare di ricevere finanziamenti e privilegi fiscali da parte di coloro – Stato ed enti locali – che giudica nemici dei valori cristiani. Al contrario, non vi ha mai rinunciato. Anzi, ne chiede e ne ottiene sempre di più.

Mi sono dilungato sul caso Sapienza perché anche per me, come per Clemente Mastella, la folla di San Pietro ha rappresentato, nel mio piccolo, "un'illuminazione". Decisiva per la nascita di questo libro. La prima domanda a cui si vuol rispondere è semplice: perché negli ultimi anni le gerarchie cattoliche hanno deciso di appoggiare il centrodestra? La scelta è evidente e testimoniata anche dai flussi elettorali. I cattolici praticanti in Italia sono calcolati in un terzo circa della popolazione, quanti cioè dichiarano di andare a messa (in realtà, quelli che ci vanno davvero sono ancora meno) e di essere influenzati nel voto dall'opinione del papa e dei vescovi. La percentuale coincide con il numero di italiani che dona l'otto per mille alla Chiesa cattolica. Questo elettorato cattolico, dalla comparsa del maggioritario nel 1994, si era sempre diviso a metà nel voto fra destra e sinistra. Ma nel 2006 si è spostato in maniera massiccia verso il centrodestra: due terzi dei consensi contro un terzo andato alle liste dell'Unione. La spiegazione ufficiale è la prevalenza di alcuni temi etici nella polemica elettorale, per esempio i Dico, le coppie di fatto, il presunto attacco ai valori della famiglia da parte del centrosinistra. Ma le gerarchie cattoliche usano i temi etici per mascherare importanti interessi economici. La vera differenza fra un governo di centrodestra e uno di centrosinistra non sta tanto nella difesa dei valori cattolici o laici – assai timida nel secondo caso, almeno rispetto agli altri paesi europei. La differenza reale sta nel diverso atteggiamento nei confronti della perenne "questua" di danaro pubblico da parte del Vaticano.

Si tratta di un *do ut des* fra due caste, quella dei politici e quella ecclesiastica, che passa sulla testa dei cittadini. Gli italiani spendono per mantenere la Chiesa più di quanto spendano per mantenere l'odiato ceto politico. Ma non lo sanno. Non lo sa il terzo di cattolici praticanti e non lo sanno gli altri due terzi. A differenza di quanto accade in tutte le altre democrazie, compresi i paesi a forte tradizione cattolica, la base del finanziamento alle religioni – in questo caso una sola – è involontaria. Prescinde insomma dalla spontaneità dell'offerta, regola democratica in materia dai tempi dei padri fondatori americani. È il frutto di accordi fra nomenklature, circondati dal silenzio dell'informazione. I cittadini italiani conoscono, più o meno, i motivi per cui pagano le altre tasse. Ma non conoscono la ragione per la quale sborsano ogni anno una singolare e ingente tassa ecclesiastica, che anzi non sanno neppure di pagare.

Questo libro si propone un piccolo obiettivo: informare sui meccanismi di finanziamento pubblico alla ex (?) religione di Stato. Non è un libro anticlericale, per quanto non ci sarebbe nulla di male se lo fosse. Non si occupa di questioni etiche o ideologiche, ma soltanto di conti. Non si troverà una sola parola o frase su una serie di temi più o meno pruriginosi che "fanno vendere" e alimentano le pubblicazioni anticlericali, per esempio i casi di pedofilia o le vessazioni rivelate dagli ex aderenti all'Opus Dei.

Personalmente, sono convinto che l'asse portante e vitale della cultura italiana sia il dialogo fra laici e cattolici, e non l'irrilevante confronto fra "cultura di sinistra" e "cultura di destra". A parte il prezioso lavoro di Carlo Pontesilli e Maurizio Turco, da anni impegnati sul fronte dell'inchiesta sui costi della Chiesa, le principali informazioni usate in questo libro sono state raccolte da fonti cattoliche. Da laico riconosco e rispetto il diritto dei cattolici di intervenire e pronunciarsi come e quando vogliono sui temi etici. Ma sono anche consapevole che in questo paese la libertà di un laico è considerata inferiore a quella di un cattolico. Un laico non può offendere una persona sulla base di un pregiudizio personale, né può intromettersi nella vita privata o giudicare le scelte sessuali altrui, tanto meno boicottare le leggi dello Stato, o accusare il prossimo di reati inesistenti. Per esempio, sostenere che la Chiesa cattolica "ruba" il danaro pubblico. Un cattolico invece può offendere qualcuno perché è ebreo, o musulmano, o omosessuale, invitare i medici a boicottare la legge sull'aborto e bollare come "assassine" le donne che ricorrono a una pratica legale sancita dalle leggi dello Stato e approvata da un referendum popolare. D'altra parte, sarebbe interessante sapere se un medico obiettore musulmano sarebbe messo sullo stesso piano dei medici cattolici.

Ultima precisazione, prima di cominciare. Il sottotitolo de *La questua – Quanto costa la Chiesa agli italiani* – farà storcere il naso sia ai laici che ai cattolici. Per i primi non bisognerebbe mai scrivere "Chiesa" con la maiuscola per intendere la chiesa cattolica. I cattolici sono invece molto attenti alle distinzioni formali all'interno dell'organizzazione. Vaticano, Santa Sede e Cei, l'assemblea dei vescovi italiani, sono in effetti soggetti giuridici differenti, dunque: *Quanto costano il Vaticano, la Cei e la Santa Sede agli italiani*. Una volta scartati il politicamente corretto e il cattolicamente corretto, mi sono concentrato su quello di cui finanche l'autore capiva il senso: il costo della Chiesa, una e trina.

1.

I soldi del vescovo

"Quando sono arrivato alla Cei, nel 1986, si trovavano a malapena i soldi per pagare gli stipendi di quattro impiegati." Camillo Ruini non esagera. A metà anni ottanta, le finanze della Chiesa cattolica sono una scatola vuota e nera. Il budget della Cei non arriva a 300 milioni di lire (Ruini lo porterà in venticinque anni oltre i duemila miliardi). Conferenza dei vescovi, Vaticano, Santa Sede sono "in rosso". Un anno dopo l'arrivo di Ruini alla Cei, soltanto il passaporto vaticano salva il presidente dello Ior, monsignor Paul Marcinkus, dall'arresto per il crac del Banco Ambrosiano di Roberto Calvi.

La crisi economica è lo specchio, o il precipitato, di una crisi assai più ampia. Le grandi battaglie civili e sociali degli anni sessanta e settanta, culminate nelle vittorie referendarie sul divorzio e sull'aborto, hanno inferto colpi terribili al secolare potere dell'Oltretevere sulla società italiana. L'Italia e tutto il mondo occidentale sembrano pronti, per la prima volta da duemila anni, a "fare a meno" della Chiesa cattolica. Chiese e sagrestie si svuotano a un ritmo impressionante. C'è chi profetizza che la Chiesa cattolica non sopravvivrà alla fine del secolo e chi comincia a interpretare il celebre "mille e non più mille" di Nostradamus come l'annuncio non della morte di Dio o della fine della civiltà, ma del tramonto del cattolicesimo.

Negli stessi anni, si sviluppa nel mondo cattolico una reazione passatista alle aperture della Chiesa conciliare. All'interno delle gerarchie ecclesiastiche e anche fuori, per esempio con la spettacolare espansione dell'Opus Dei e la nascita di Comunione e Liberazione, si avanza la nostalgia per le vecchie bandiere del Rito e della Tradizione. Il riformismo del Concilio Vaticano II finisce per essere messo sotto accusa come troppo "di sinistra", quasi un cedimento all'egemonia culturale dei "rossi", responsabile del crollo di vocazioni e della crisi di partecipazione alle messe. Il solidarismo delle dottrine sociali di Giovanni XXIII e Paolo VI è visto come incoraggiamento agli "estremisti" della teologia della liberazione sudamericana.

Il fronte tradizionalista della Chiesa cattolica, da sempre maggioranza, predica un ritorno alla "vera fede". Di più, sogna di partire alla Reconquista di una società laicizzata ma insicura. Non del tutto a torto, come dirà la storia di questi ultimi vent'anni.

Al fronte passatista mancano però due elementi fondamentali per realizzare i suoi progetti. Innanzitutto, occorre trovare un papa più sensibile alla tradizione che alla dottrina sociale. Quindi, bisogna recuperare la leva economica e politica, il braccio secolare; serve, insomma, qualcuno in grado di rimettere in sesto le finanze cattoliche e di organizzare una lobby parlamentare. Per poter sconfiggere i nefasti teorici "di sinistra" di una Chiesa povera fra i poveri e nemica del Palazzo.

La prima, clamorosa svolta si registra nel 1978 con l'avvento al soglio di Pietro di un papa polacco che considera la lotta al comunismo la missione della vita. Karol Wojtyla è un singolare ibrido di mistico e politico, con geniali doti di comunicatore e sicuro talento di attore. Un personaggio in definitiva troppo complesso per ridurlo alle categorie di "reazionario" o "progressista". Ma i risultati concreti del pontificato di Giovanni Paolo II sono il ritorno alla Chiesa preconciliare, l'alleanza privilegiata con le forze tradizionaliste e la progressiva riduzione, fino all'estinzione, del dissenso cattolico.

La seconda svolta, meno spettacolare ma non meno importante, è l'arrivo alla Cei di Camillo Ruini. Quando Giovanni Paolo II lo chiama a Roma da Reggio Emilia, Ruini è un giovane vescovo noto alle cronache solo per aver celebrato il matrimonio di Flavia Franzoni e Romano Prodi. Alla guida dei vescovi italiani, rivelerà considerevoli capacità di manager, al servizio di una lucidissima visione politica. La crisi del grande partito cattolico, la Democrazia cristiana, è appena cominciata. Ma Ruini è fra i primi a coglierla. Il suo capolavoro è riuscire a trasformare la potenziale catastrofe in un'occasione per accrescere il peso dei vescovi nella società. Nel "ventennio Ruini" – segretario dall'86 e presidente dal '91 –, la Cei si trasformerà in una potenza economica, quindi mediatica e politica, come non si era mai visto. Ruini stesso assumerà con il tempo e in prima persona un ruolo da protagonista nel dibattito pubblico italiano e all'interno del Vaticano, come mai era avvenuto con i predecessori e fino a diventare uno dei più ascoltati consiglieri del Palazzo e il grande elettore di Benedetto XVI.

Le ragioni dell'ascesa di Ruini sono legate all'intelligenza, alla ferrea volontà e alle straordinarie qualità di organizzatore del personaggio. Ma un'altra chiave per leggerne la parabola si chiama "otto per mille". Un fiume di soldi che comincia a fluire nelle casse della Cei dalla primavera del 1990, quando il prelievo diretto sull'Irpef entra a regime e sfocia ormai nel mare di 1 miliardo di euro all'anno. Ruini ne diviene il *dominus* incontrastato. Tolte le spese automatiche, come gli stipendi dei preti (riguardo ai quali la Cei gode peraltro di ampi margini di discrezionalità), è il presidente della Conferenza episcopale, attraverso pochi fidati collaboratori, ad avere l'ultima parola su ogni singola spesa, dalla riparazione di una canonica alla costruzione di una missione in Africa, agli investimenti immobiliari e finanziari.

L'otto per mille è la voce più nota nel costo complessivo della Chiesa cattolica per gli italiani. Il calcolo non è semplice, oltre a essere poco di moda. Assai meno di moda delle furenti diatribe sul costo della politica. Non so se si possa parlare di una "casta ecclesiastica" parassitaria come la "casta politica". Il parallelo può suonare blasfemo o fastidioso per molti. In Italia il pregiudizio sfavorevole, per non dire sprezzante, nei confronti della professione politica si accompagna a un riguardo assoluto per le esigenze del clero. Ma un dato almeno è certo: il costo della Chiesa cattolica per i contribuenti italiani è superiore al costo della politica. Ed è governato da un sistema di finanziamento ancora meno democratico.

Il "prezzo della casta" è ormai calcolato in quattro miliardi di euro all'anno. "Una mezza finanziaria" per "far mangiare il ceto politico". "L'equivalente di un Ponte sullo Stretto o di un Mose all'anno." Alla cifra dello scandalo, sbattuta in copertina da "Il Mondo" e altri giornali, sulla scia del best seller di Sergio Rizzo e Gian Antonio Stella, *La casta*, e del precedente *Il costo della democrazia*, di Cesare Salvi e Massimo Villone, si arriva sommando gli stipendi di centocinquantamila eletti dal popolo – dai parlamentari europei all'ultimo consigliere di comunità montana –, più i compensi dei quasi trecentomila consulenti, le spese per il funzionamento dei ministeri, le pensioni dei politici, i rimborsi elettorali, i finanziamenti ai giornali di partito, le auto blu e altri privilegi, compresi buvette e barbiere di Montecitorio. La somma di quattro miliardi è realistica, ma un po' gonfiata da forzature polemiche. Per esempio, è assai dubbio che esista davvero il mezzo milione di auto blu di cui si favoleggia da anni e che ha suscitato l'indignazione di molti opinionisti, a partire da Adriano Sofri. A meno di non considerare "auto blu" anche la Panda che il piccolo Comune di cinquemila abitanti mette a disposizione degli impiegati o dei tecnici per sbrigare una pratica o effettuare un rilievo.

Secondo la *par condicio*, bisognerebbe valutare il costo della Chiesa con lo stesso metro. Ma si arriverebbe a cifre faraoniche quanto approssimative, del genere strombazzato nei libelli e in certi siti anticlericali. Con molta prudenza, si può stabilire che la Chiesa cattolica costa ogni anno ai contribuenti italiani una cifra vicina ai 4 miliardi e mezzo di euro, tra finanziamenti diretti dello Stato e degli enti locali e mancato gettito fiscale. La prima voce comprende il miliardo di euro dell'otto per mille, i 950 milioni per gli stipendi dei 22.000 insegnanti dell'ora di religione ("Un vecchio relitto concordatario che sarebbe da abolire", nell'opinione dello scrittore cattolico Vittorio Messori), altri 700 milioni versati da Stato ed enti locali per le convenzioni su scuola e sanità. L'ultima cifra, assai difficile da verificare, è di sicuro superiore nei fatti. Ben superiore. Nel 2004, per esempio, lo Stato ha elargito 258 milioni di finanziamenti alle scuole cattoliche, 44 milioni per le cinque Università cattoliche, più 20 milioni per il Campus Biomedico dell'Opus Dei (30 dal 2005), 18 milioni per i buoni scuola degli studenti delle scuole cattoliche. Nel 2005, l'ammontare dei contributi alle scuole non statali è stato di 527 milioni di euro (circolare ministeriale 38/2005). Nel 2006, a fronte dei tagli all'istruzione apportati dalla legge finanziaria, i finanziamenti diretti alla scuola privata sono stati incrementati fino a 532,3 milioni. Nel settore della sanità, le convenzioni pubbliche con gli ospedali cattolici classificati ammontano a circa 1 miliardo di euro, quelle con gli istituti di ricerca a 420 milioni di euro, quelle con le case di cura a 250.

Ma qui ci siamo limitati a calcolare nei costi la parte che si può serenamente ascrivere all'immenso capitolo degli "sprechi della sanità". Poi c'è la voce variabile dei finanziamenti ai Grandi eventi, dal Giubileo (3500 miliardi di lire) all'ultimo raduno di Loreto (2,5 milioni di euro), per una media annua – nell'ultimo decennio – di 250 milioni di euro. A questi 2 miliardi 900 milioni l'anno di contributi pubblici diretti alla Chiesa occorre aggiungere il cumulo di vantaggi fiscali. L'elenco è infinito, nazionale e locale. Sempre con prudenza, si può valutare in una forbice fra 400 e 700 milioni il mancato incasso per l'Ici (stime "non di mercato" dell'associazione dei Comuni), in 500 milioni lo sconto del 50 per cento su Ires, Irap e altre imposte, in altri 600 milioni l'elusione fiscale legalizzata del mondo del turismo cattolico, che gestisce ogni anno da e per l'Italia un flusso di quaranta milioni di visitatori e pellegrini. Nel best seller *Perché non pos-*

siamo essere cristiani (e meno che mai cattolici), Pier-giorgio Odifreddi arriva a una cifra finale doppia: 9 miliardi di euro all'anno. I due calcoli coincidono in quasi tutte le voci, tranne una: le esenzioni fiscali. Valutando il patrimonio immobiliare della Chiesa in "alcune centinaia di miliardi di euro", Odifreddi considera il mancato gettito fiscale in 6 miliardi di euro. Con tutto il rispetto per il grande matematico, oltre che per l'incalcolabile (alla lettera) patrimonio della Chiesa, ci siamo limitati a una stima assai inferiore, circa un quarto, ma assai più semplice da provare. Il totale sfiora i 4 miliardi e mezzo all'anno: dunque, una mezza finanziaria, un Ponte sullo Stretto, o un Mose, più un altro mezzo miliardo di euro. Mille miliardi di vecchie lire.

La Chiesa cattolica, non eletta dal popolo e non sottoposta a vincoli democratici, costa agli italiani più del sistema politico. Soltanto agli italiani, almeno in queste dimensioni. Ma, soprattutto, in questa forma poco trasparente. Con una serie di automatismi calati dall'alto che prescindono totalmente dalla volontarietà del contributo alla religione (alle religioni), principio fondamentale di una democrazia. Francesi, spagnoli, tedeschi, americani pagano come noi il "costo della democrazia", sia pure con risultati decisamente migliori (questo è il vero problema). Nessun altro popolo paga altrettanto, o nella stessa forma anomala degli italiani, il costo di una religione.

Si può obiettare che gli italiani sono più contenti di dare i soldi ai preti che non ai politici, infatti se ne lamentano assai meno. In parte perché, forse, non lo sanno. Il meccanismo dell'otto per mille sull'Irpef, studiato a metà anni ottanta da un giurista esperto di diritto tributario all'epoca "di sinistra" come Giulio Tremonti, consulente del governo Craxi, assegna alla Chiesa cattolica anche le donazioni non espresse, su base percentuale. Il 60 per cento dei contribuenti lascia in bianco la voce "otto per mille", ma grazie al 35 per cento che indica "Chiesa cattolica" fra le scelte ammesse (le altre sono: Stato, valdesi, avventisti, assemblee di Dio, ebrei e luterani), la Cei si accaparra quasi il 90 per cento del totale. Una mostruosità giuridica la definì già nell'84 sul "Sole 24 Ore" lo storico Piero Bellini. Ma pur considerando il meccanismo "facilitante" dell'otto per mille, rimane diffusa la convinzione che i soldi alla Chiesa siano ben destinati, con un ampio "ritorno sociale": una mezza finanziaria, d'accordo, ma utile a ripagare il prezioso lavoro svolto dai sacerdoti sul territorio, la fatica quotidiana delle parrocchie nel tappare le falle sempre più evidenti del welfare, senza contare l'impegno nel Terzo mondo. Tutti argomenti veri. Ma *quanto* veri?

Fare i conti in tasca alla Chiesa è impresa disperata. Tuttavia, per capire dove finiscono i soldi degli italiani sarà pur lecito citare come fonte insospettabile la stessa Cei e il suo bilancio annuo sull'otto per mille. Su 5 euro versati dai contribuenti, la Conferenza dei vescovi dichiara di spenderne 1 per interventi di carità in Italia e all'estero (rispettivamente, 12 e 8 per cento del totale). Gli altri 4 servono all'autofinanziamento. Prelevato il 35 per cento del totale per pagare gli stipendi ai circa 39 mila sacerdoti italiani, ogni anno rimane mezzo miliardo di euro nelle casse della Cei, che lo distribuisce all'interno della Chiesa a suo insindacabile parere, sotto voci generiche e imperscrutabili come "esigenze di culto", "spese di catechesi", attività finanziarie e immobiliari. Senza contare l'altro paradosso: se al "voto" dell'otto per mille fosse applicato il quorum della metà, valido per le consultazioni referendarie, la Chiesa non vedrebbe mai un euro.

Nella cultura cattolica, in misura ben maggiore che nelle timidissime culture liberali e di sinistra, è in corso da anni un coraggioso, doloroso e censuratissimo dibattito sul "come" le gerarchie vaticane usano il danaro dell'otto per mille "per troncare e sopire il dissenso nella Chiesa". Una delle testimonianze migliori è il pamphlet *Chiesa padrona* di Roberto Beretta, scrittore e collaboratore dell'"Avvenire", il quotidiano dei vescovi. Al capitolo *L'altra faccia dell'otto per mille*, Beretta osserva: "Chi gestisce i danari dell'otto per mille ha conquistato un enorme potere, che pure ha importantissimi risvolti ecclesiali e teologici". Continua: "Quale vescovo per esempio – sapendo che poi dovrà ricorrere alla Cei per i soldi necessari a sistemare un seminario o a riparare la cattedrale – alzerà mai la mano in assemblea generale per contestare le posizioni della presidenza? [...] E infatti," conclude l'autore, "i soli che in Italia si permettono di parlare schiettamente sono alcuni dei vescovi emeriti, ovvero quelli ormai in pensione, che non hanno più niente da perdere...". A scorrere i resoconti dei convegni culturali e le pagine di *Chiesa padrona*, rifiutato in blocco dall'editoria cattolica e non pervenuto nelle librerie religiose, si capisce che la critica al "dirigismo" e all'uso "ideologico" dell'otto per mille non è affatto isolata nell'universo dei credenti. Non mancano naturalmente i "vescovi in pensione", da Carlo Maria Martini, ormai esiliato volontario a Gerusalemme, a Giuseppe Casale, ex arcivescovo di Foggia, che descrive così il nuovo corso: "I vescovi non parlano più, aspettano l'input dai vertici... Quando fanno le nomine vescovili consultano tutti, laici, preti, monsignori, e poi scelgono chi vogliono loro, cioè chiunque salvo il nome che è stato indicato". Il già citato Vittorio Messori ha lamentato più volte il "dirigismo", il "centralismo" e lo "strapotere raggiunto dalla burocrazia nella Chiesa". Alfredo Carlo Moro, giurista e fratello di Aldo, in uno degli ultimi interventi pubblici ha lanciato una sofferta accusa: "Assistiamo ormai a una carenza gravissima di discussione nella Chiesa, a un impressionante e clamoroso silenzio; delle riunioni della Cei si sa solo ciò che dichiara in principio il presidente; i teologi parlano solo quando sono perfettamente in linea, altrimenti tacciono".

La Chiesa di vent'anni fa, quella in cui Camillo Ruini comincia la sua scalata, non ha i soldi per pagare gli impiegati della Cei, con le finanze scosse dagli scandali e svuotate dal sostegno a Solidarność. La cultura cattolica si sente derisa dall'egemonia di sinistra, ignorata dai giornali laici, espulsa dall'universo edonista delle tv commerciali, perfino ridotta in minoranza nella Rai riformata. È una Chiesa povera eppure viva, anzi vitalissima. Tanto pluralista da ospitare nel suo seno mille voci, dai teologi della liberazione agli ultratradizionalisti seguaci di monsignor Lefebvre. Capace di riconoscere movimenti di massa, come Comunione e Liberazione, e di "scoprire" l'antimafia, con le omelie del cardinale Pappalardo, l'eroica lotta di don Puglisi a Brancaccio – il quartiere storico della mafia palermitana –, con l'impegno di don Italo Calabrò contro la 'ndrangheta a Reggio Calabria. Dopo vent'anni di "cura Ruini", la Chiesa all'apparenza scoppia di salute. Il Vaticano è il più ricco Stato del mondo per reddito pro capite, le gerarchie sono potenti e ascoltate a Palazzo, governano l'agenda dei media laici e influiscono sull'intero quadro politico, da An a Rifondazione, non più soltanto su un partito. Nelle apparizioni televisive, il clero è secondo soltanto al ceto politico e di poco. Si vantano folle oceaniche ai raduni cattolici, la moltiplicazione dei santi e dei santuari, i record di audience delle fiction su santi e preti. Le voci di dissenso sono sparite.

Eppure, chiese e sagrestie continuano a svuotarsi, la crisi di vocazioni accelera al punto da aver ridotto in vent'anni i preti da 60 a 50 mila, i sacramenti religiosi come matrimonio e battesimo sono in diminuzione. Il clero è vittima dell'illusoria equazione mediatica "visibilità uguale consenso", come il suo gemello separato, il ceto politico. Nella vita reale rischia di inverarsi la terribile profezia lanciata trent'anni fa da un teologo progressista: "La Chiesa sta divenendo per molti l'ostacolo principale alla fede. Non riescono più a vedere in essa altro che l'ambizione umana del potere, il piccolo teatro di uomini che, con la loro pretesa di amministrare il cristianesimo ufficiale, sembrano per lo più ostacolare il vero spirito del cristianesimo".

Quel teologo si chiamava Joseph Ratzinger.

2.

L'otto per mille segreto

Le campagne dell'otto per mille della Chiesa cattolica che ogni primavera, nei mesi precedenti la dichiarazione dei redditi, invadono l'etere, le reti Rai e Mediaset e le radio nazionali, sono considerate nel mondo pubblicitario un modello di comunicazione. Ben girate, splendida fotografia, musiche di Ennio Morricone, storie efficaci – a volte indimenticabili. Chi non ricorda per esempio quella del 2005, imperniata sulla tragedia dello tsunami? Si apre con l'immagine di un fragile villaggio di capanne, dalla spiaggia i pescatori scalzi scrutano l'orizzonte gravido di scure minacce. Voce fuori campo: "Quel giorno dal mare è arrivata la fine, l'onda ha trasformato tutto in nulla". Stacco sul logo dell'otto per mille: "Poi, dal niente, siete arrivati voi. Le vostre firme si sono trasformate in barche e reti". Zoom su barche e reti: "Barche e reti capaci di crescere figli e pescare sorrisi". Slogan: "Con l'otto per mille alla Chiesa cattolica, avete fatto tanto per molti". Un capolavoro.

La campagna 2005, affidata come le precedenti alla multinazionale Saatchi & Saatchi, è costata alla Chiesa nove milioni di euro. Il triplo di quanto la Chiesa ha poi donato alle vittime dello tsunami: tre milioni (fonte Cei), lo 0,3 per cento della raccolta. Nello stesso anno, l'Ucei – l'Unione delle comunità ebraiche italiane – versò per lo Sri Lanka e l'Indonesia 200 mila euro, il 6 per cento dell'"otto per mille". Un'offerta in proporzione venti volte superiore, in un'area dove non esistono comunità ebraiche.

Gli spot della Chiesa cattolica sono per la maggioranza degli italiani l'unica fonte d'informazione sull'otto per mille. Ne conseguono una serie di pregiudizi assai diffusi. Credenti e non credenti sono convinti che la Chiesa cattolica usi i fondi dell'otto per mille soprattutto per la carità in Italia e nel Terzo mondo. Le due voci occupano il 90 per cento dei messaggi, ma costituiscono nella realtà soltanto il 20 per cento della spesa reale: l'80 per cento del miliardo di euro rimane alla Chiesa cattolica, per una serie di usi e destinazioni che le campagne pubblicitarie in genere non documentano.

Tanto meno, gli spot cattolici si occupano di informare che le quote non espresse nella dichiarazione dei redditi – il 60 per cento – sono comunque assegnate sulla base del 40 per cento di quanto è stato espresso e finiscono dunque al 90 per cento nelle casse della Cei. Questo compito, in effetti, spetterebbe allo Stato italiano. Lo Stato avrebbe avuto il dovere di illustrare e giustificare ai cittadini un meccanismo di "voto fiscale" unico al mondo. Inconcepibile non soltanto in nazioni in cui vige un ordinamento separatista fra Stato e Chiesa, come la Francia, ma anche nei paesi concordatari. In Spagna, le quote non espresse nel "cinque per mille" rimangono allo Stato, come suggerirebbe la logica. In Germania, lo Stato si limita a organizzare la raccolta dei cittadini che possono scegliere di versare l'8 o 9 per mille del proprio reddito alla Chiesa cattolica o luterana, o ad altri culti. È il sistema della "decima". Un sistema che rispetta un principio fondamentale della democrazia, espresso una volta per tutte dai padri degli Stati Uniti, che passano per, ed erano in buona misura, ferventi cristiani. Come scrisse Thomas Jefferson: "Nessuno può venir costretto a partecipare o a contribuire pecuniariamente a qualsivoglia culto, edificio o ministero religioso".

È esattamente il contrario di quanto avviene in Italia. A ogni livello, nazionale e locale, i cittadini sono "costretti", volenti o nolenti, consapevoli o meno, a contribuire pecuniariamente non a qualsivoglia culto ma a uno solo.

Eppure, la "decima" funziona molto bene in termini economici, laddove è applicata. Le ventisette diocesi tedesche sono fra le più ricche del mondo. Insieme alle diocesi cattoliche statunitensi, finanziate con le libere donazioni dei fedeli. Perché allora la volontarietà del contributo religioso non viene adottata anche in Italia?

È la domanda che ho rivolto a tutti gli esponenti cattolici nei numerosi dibattiti, in pubblico o sui media, ai quali sono stato chiamato a discutere la questione. La risposta variava secondo il grado di schiettezza dell'interlocutore, ma tutti – vescovi e giornalisti, intellettuali e sacerdoti – hanno fornito lo stesso genere di risposta. In grado decrescente di schiettezza: "Perché qui non si raccoglierebbe una lira", oppure "molto poco", o ancora "al massimo un centinaio di milioni". Fra parentesi, l'ultima ipotesi è decisamente ottimistica: in Italia, il libero contributo al sostentamento del clero, per quanto esentasse, non tocca in media i venti milioni di euro all'anno. Un euro per ogni sedicente cattolico praticante. Diviso poi per i cinquanta milioni di cattolici italiani di cui si legge nei documenti della Chiesa, farebbe 40 centesimi a testa.

Gli stessi intellettuali o vescovi, qualche minuto prima o dopo, difendevano tuttavia il meccanismo delle quote non assegnate con l'argomento che l'Italia è "un paese a forte vocazione e maggioranza cattoliche" e quindi i cittadini possono ben immaginare dove finiscano le quote non assegnate. Se non si ribellano, è il ragionamento, significa che sono d'accordo: silenzio uguale assenso.

Per esperienza, in questi casi è inutile far notare la contraddizione fra l'idea di un "paese a forte vocazione cattolica" dove, per ottenere finanziamenti alla Chiesa, bisogna ricorrere a un marchingegno per prendere dalle tasche dei presunti fedeli ciò che mai donerebbero spontaneamente. L'ipocrisia di un'Italia cattolicissima – dove con le libere donazioni il clero morirebbe di fame – è diventata una specie di dogma.

Lo Stato, in diciotto anni, non ha mai speso una parola o uno spot per giustificare la bizzarria della questua all'italiana, alle spalle dei contribuenti. Del resto, le istituzioni pubbliche hanno appreso molto bene la lezione della Chiesa: mai giustificare le proprie contraddizioni. Quando infatti si è trattato di allargare il finanziamento via Irpef alla ricerca e alle Onlus, con l'istituzione del "cinque per mille", non solo si è adottato il criterio dell'assoluta volontarietà, ma si sono imposti pesanti limiti alle scelte dei contribuenti. Il cinque per mille, nato nel 2006 per destinare appunto lo 0,5 per cento dell'Irpef (660 milioni di euro, stima ufficiale delle Entrate) alla ricerca e al volontariato, è sembrato subito essere assai più gradito ai contribuenti italiani dell'otto per mille. Nel primo anno, hanno aderito all'appello il 61 per cento dei contribuenti, contro il 40 scarso dei "votanti" per l'otto per mille. Le sole quote volontarie ammontavano a oltre 400 milioni. Ma con la Finanziaria del 2007 il governo di centrosinistra ha deciso di porre un tetto di 250 milioni al fondo, che si chiama sempre "cinque per mille" ma è ridotto nei fatti a un "due per mille". Le quote eccedenti verranno prelevate dall'erario.

Con una mano, lo Stato dunque regala 600 milioni di quote non espresse alla Cei e con l'altra sottrae 150 milioni di quote espresse a favore di onlus e ricerca. Nella stessa pagina del modulo 730! In alto, il "voto fiscale" espresso da un cittadino a favore delle chiese in termini economici vale quattro volte il voto espresso in basso nella casella del "cinque per mille". Perché due pesi e due misure?

Dal 1990, lo Stato non ha mai neppure speso uno spot per fare pubblicità al proprio otto per mille. Ed è l'unico concorrente della Cei ad averne i mezzi, oltre al dovere morale. Gli altri (valdesi, ebrei, luterani, avventisti, assemblee di Dio) dispongono di fondi minimi per la pubblicità, peraltro regolarmente denunciati nei resoconti. L'unica voce a rompere il silenzio (stavolta, davvero "uguale assenso") delle istituzioni pubbliche fu, nel 1996, quella di una cattolica – come spesso accade –, la diessina Livia Turco, allora ministro per la Solidarietà. Turco propose di destinare la quota statale di otto per mille a progetti per l'infanzia povera. Il "cassiere" pontificio, monsignor Attilio Nicora, rispose che "lo Stato non doveva fare concorrenza scorretta alla Chiesa". Fine del dibattito. Oggi Livia Turco ricorda: "Nella mia ingenuità, pensavo che la mia proposta incontrasse il favore di tutti, compresa la Chiesa. L'Italia è il paese continentale con la più alta percentuale di povertà infantile. Al contrario, la reazione della Chiesa fu durissima, infastidita, e dalla politica fui subito isolata. Ho vissuto quella vicenda con grande amarezza".

La politica non ha più osato far concorrenza alla Chiesa cattolica (il contrario è invece consentito in molti settori), anzi, l'ha favorita con un pessimo uso del fondo. Nel 2004, i media hanno dato grande risalto alla trovata del governo Berlusconi di utilizzare 80 dei 100 milioni ricevuti dall'otto per mille per finanziare le missioni militari, in particolare in Iraq. Degli altri venti milioni, quasi la metà (44,5 per cento) sono finiti nel restauro di edifici di culto, quindi ancora alla Chiesa. Si poteva comunicare meglio ai cittadini il concetto di "non lasciare l'otto per mille allo Stato"? No, e infatti vi sono riusciti benissimo: la percentuale di assegnazioni allo Stato italiano è crollata dal 23 per cento del 1990 all'8,3 del 2006. All'atteggiamento remissivo dello Stato italiano ha fatto da contraltare una crescente aggressività da parte delle gerarchie ecclesiastiche, e soprattutto dei politici al seguito – cattolici e neocon convertiti –, nel rivendicare una sorta di diritto storico o "sacro" a ricevere danaro pubblico senza giustificazione. Nell'agosto 2007, quando la Commissione Europea ha chiesto lumi al governo Prodi sui privilegi fiscali del Vaticano – nell'ipotesi si trattasse di "aiuti di Stato" mascherati –, l'ex ministro Roberto Calderoli, già protagonista delle battaglie anticlericali della Lega anni novanta, ha chiesto al papa di "scomunicare l'Unione europea". Rocco Buttiglione ha avanzato un argomento in disuso fra gli intellettuali dai primi del Novecento, ma oggi di gran moda; secondo il quale i privilegi concessi dallo Stato al Vaticano sarebbero "una compensazione per la confisca dei beni ecclesiastici dello Stato Pontificio". Un revanscismo già sepolto dalla Chiesa del Concilio. Nel 1970, Paolo VI aveva "festeggiato" con la visita in Campidoglio la breccia di Porta Pia: "atto della Provvidenza", una "liberazione" per la Chiesa da un potere temporale che ne ostacolava l'autentica missione. Joseph Ratzinger scrive ne *Il sale della terra*: "Purtroppo nella storia è sempre capitato che la Chiesa non sia stata capace di allontanarsi da sola dai beni materiali, ma che questi le siano stati tolti da altri; e ciò, alla fine, è stato per lei la salvezza".

Ma che cosa c'entra poi la confisca dei beni con l'otto per mille? La legge 222 del 1985 istitutiva dell'otto per mille, per lo più sconosciuta ai polemisti, non accenna ad alcuna forma di "risarcimento" per le confische (argomento insensato nell'Italia di vent'anni fa). Lo scopo primario della legge di revisione del Concordato fascista del '29 è molto chiaro e semplice: sostituire la "congrua", ovvero lo stipendio di Stato ai sacerdoti. Qui, per inciso, si dovrebbe aprire una lunga parentesi su una questione di costituzionalità che però è sfuggita anche ai costituzionalisti. Lo Stato italiano finanzia direttamente e indirettamente un'azienda, la Chiesa, che opera una clamorosa discriminazione sessista nei confronti dei propri dipendenti. I preti hanno infatti riconosciuto il diritto allo stipendio e alla pensione, le suore no. Le donne nella Chiesa non percepiscono un euro di salario, né un euro di pensione. Chiusa la digressione, torniamo al nodo di fondo. Il "sostentamento al clero" è citato fin dal titolo della legge e ribadito ovunque nel testo e nei vari provvedimenti. Fra i quali, la già citata esenzione fiscale per le donazioni spontanee: come si è visto, di modesto esito. Nei primi anni, lo Stato si impegnava per giunta a integrare l'otto per mille fino a 407 miliardi di lire, nel caso i fondi si fossero rivelati insufficienti allo scopo di pagare gli stipendi ai preti. In cambio, il Vaticano accettava che una commissione bilaterale valutasse ogni tre anni l'ipotesi di ridurre le quote nel caso contrario di un gettito eccessivo. Ora, dal 1990 al 2007, l'incasso per la Cei è quintuplicato e la spesa per gli stipendi dei preti, complice la crisi di vocazioni, è scesa in proporzione della metà: dal 70 al 35 per cento. Eppure, la commissione italo-vaticana non ha mai deciso un adeguamento. Perché?

Senza avventurarsi in filosofia del diritto, si può forse raccontare il percorso di uno dei componenti laici della commissione, Carlo Cardia. Il professor Cardia, insigne giurista di formazione comunista, consigliere di Enrico Berlinguer e di Pietro Ingrao, ha esordito da fiero "difensore del diritto negato in Italia all'ateismo" (*Ateismo e libertà religiose*, De Donato 1973). Nel 2001, è Cardia a invocare una riduzione dell'otto per mille, in un saggio pubblicato dalla presidenza del Consiglio: "Dall'otto per mille derivano ormai alla Chiesa cattolica, meglio: alla Cei, delle somme veramente ingenti, che hanno superato ogni previsione. Si parla ormai di 900-1000 miliardi l'anno di lire. Il livello è tanto più alto in quanto il fabbisogno per il sostentamento del clero non supera i 400-500 miliardi. Ciò vuol dire che la Cei ha la disponibilità annua di diverse centinaia di miliardi per finalità chiaramente 'secondarie' rispetto a quella primaria del sostentamento del clero; e che lievitando così il livello del flusso finanziario si potrebbe presto raggiungere il paradosso per il quale è proprio il sostentamento del clero ad assumere il ruolo di finalità secondaria". Previsione perfetta. "Tutto ciò," concludeva Cardia, "porterebbe a vere e proprie distorsioni nell'uso del danaro da parte della Chiesa cattolica; e, più in generale, riaprirebbe il capitolo di un finanziamento pubblico irragionevole che potrebbe raggiungere la soglia dell'incostituzionalità se riferito al valore della laicità quale principio supremo dell'ordinamento."

Nel tempo, il professor Cardia è diventato illustre collaboratore di "Avvenire". I suoi temi sono cambiati: l'apologia del rapporto fra i giovani e Benedetto XVI, la lotta ai Dico, l'esaltazione del Family Day. Ciascuno, naturalmente, ha il diritto di cambiare idea. Ma è opportuno che, avendola cambiata sul giornale della Cei, continui a far parte di una commissione governativa chiamata a stabilire quanti soldi lo Stato deve versare alla Cei medesima? In un editoriale su "Avvenire", il professor Cardia tuonava contro l'inchiesta sui costi della Chiesa in questi termini: "Una delle più colossali operazioni di disinformazione degli ultimi tempi". Senza contestare nel merito un singolo dato, si indignava soltanto per l'"indecente" accostamento fra il clero cattolico e la "casta politica". Era lo stesso professor Cardia che il 20 febbraio 2008 ha dichiarato in un'intervista: "Io porterei la quota dell'otto per mille al sette, vista l'imponente massa di danaro che smuove. Basti pensare che dall'84 a oggi nessuno, se non per controversie politiche, vi ha posto mano".

L'ultimo aspetto perverso dell'otto per mille, ma non il meno imbarazzante per un cittadino laico, è l'evidente disparità di trattamento riservata dallo Stato italiano alle altre confessioni ammesse. In violazione perenne del principio costituzionale del pluralismo religioso, il nostro Stato, oltre a favorire nelle maniere già esposte la scelta per la Chiesa cattolica, versa alla Cei un anticipo di circa il 90 per cento sull'introito dell'anno successivo. Mentre alle altre confessioni versa il danaro con tre anni di ritardo. Non basta. In risposta a un'interrogazione dei soliti radicali, nel luglio del 2007 il ministro Vannino Chiti ha citato come prova della bontà del meccanismo "il fatto che anche i valdesi hanno chiesto e ottenuto le quote non espresse". Chiesto sì, ottenuto mai. Ho incontrato la "moderatrice" della Tavola Valdese, Maria Bonafede – "il Ruini dei valdesi" –, nella modesta sede romana vicino alla Stazione Termini. "Per motivi etici avevamo rinunciato alle quote non espresse, ma nel 2000, visto l'uso che ne faceva lo Stato, le abbiamo chieste. Abbiamo incontrato governi di destra e di sinistra. Ogni volta ci rinviano. Se le ottenessimo oggi, le vedremmo solo nel 2010." Ai valdesi sono andati nel 2006 circa 5 milioni 700 mila euro, ma avrebbero diritto a oltre 13 milioni. Il resto lo trattiene lo Stato. La Tavola Valdese usa i soldi dell'otto per mille al 94 per cento per la carità e il rimanente per la pubblicità. I pastori valdesi vivono delle donazioni spontanee. Lo stipendio base, uguale dalla "moderatrice" all'ultimo pastore, è di 650 euro al mese. Maria Bonafede spiega: "I soldi dell'otto per mille arrivano dalla società ed è lì che devono tornare. Se una Chiesa non riesce a mantenersi con le libere offerte, è segno che Dio non vuole farla sopravvivere".

3.
La Crociata dell'Ici

Una terrazza da sogno sul cuore della Roma barocca, sormontata dal campanile di Santa Brigida, con vista sull'ambasciata francese e sull'attico di Cesare Previti.

È soltanto uno dei vanti dell'albergo delle Brigidine in piazza Farnese – "magnifico palazzo del Quattrocento" si legge nel dépliant dell'hotel –, classificato con cinque stelle nei siti turistici, caldamente consigliato nei blog dei visitatori, soprattutto dagli americani, per il buon rapporto qualità-prezzo e l'accoglienza delle suore: "Parlano tutte l'inglese e possono procurare lasciapassare gratis per le udienze del papa," scrive un'entusiasta ospite da Singapore sul portale Trip Advisor ("leggi le opinioni e confronta i prezzi").

L'unico problema, avvertono, è trovare posto. Sorto intorno alla chiesa di Santa Brigida, quasi sempre vuota, l'albergo è sempre pieno. Prenotarsi però non è difficile. Basta inviare un'e-mail a www.istitutireligiosi.org, il portale che raccoglie un migliaio di case-albergo cattoliche in Italia, con il progetto di pubblicarle tutte (3500) nei prossimi mesi e "raggiungere accordi con i grandi tour operator stranieri per il lancio sul mercato internazionale". Oppure, si può cliccare direttamente su www.brigidine.org, il sito ufficiale dell'ordine religioso fondato da santa Brigida di Svezia, straordinaria figura di mistica e madre di otto figli fra i quali un'altra santa, Caterina.

Una notizia che in realtà dall'home page delle Brigidine non si ottiene. La biografia della fondatrice occupa solo poche righe. In compenso, si trovano numerosi dettagli sulla catena di alberghi ("case religiose") gestiti dalle Brigidine in 19 paesi, una specie di catena Relais&Châteaux di gran fascino. Fiore all'occhiello è il magnifico chiostro dell'Avana Vecchia, inaugurato da Fidel Castro in persona.

Il prezzo di una camera a piazza Farnese è di 120 euro per la singola, 190 per la doppia – compresa colazione –, maggiorato del 3 per cento se si paga con carta di credito. La Casa di Santa Brigida – 4 mila metri quadri nella zona più cara di Roma, più lo sterminato terrazzo – ha un valore di mercato di circa 60 milioni di euro, ma è iscritto al catasto romano nella categoria "convitti". E non paga una lira di Ici.

Secondo gli studi dell'ANCI ("basati su dati catastali lontani dal valore di mercato reale"), ogni anno i Comuni italiani perdono oltre 400 milioni di euro a causa di un'esenzione fiscale illegittima e contraria alle norme europee sulla concorrenza. A questa stima vanno aggiunti gli immobili considerati unilateralmente esenti da sempre e mai dichiarati ai Comuni, per giungere a un mancato gettito complessivo valutato per difetto intorno a 1 miliardo di euro all'anno. Sarebbe più esatto dire che la perdita è per i cittadini italiani, perché poi i Comuni i soldi mancanti li prendono dalle solite tasche.

Quando l'inchiesta di "Repubblica" ha sollevato la questione dell'Ici non pagata per i beni ecclesiastici, la Cei e il suo organo di stampa, "Avvenire", poco avvezzi a subire investigazioni giornalistiche, hanno reagito con singolare furia. In una pagina intitolata *Chiesa e Ici, la saga delle cantonate*, dopo aver promesso di "smascherare una serie incredibile di falsità e manipolazioni", "Avvenire" contestava in concreto soltanto due passaggi. Nel primo, sosteneva che il regime di esenzione non si prestava ad alcuna controversia giuridica, in quanto fissato da una legge fin dal 1992: "Un regime," aggiungeva, "che non aveva mai dato problemi fino al 2004". Nell'altro passaggio, contestava la cifra di 400 milioni di mancato gettito – peraltro assai prudente – perché "ogni calcolo è impossibile".

Le cose non stanno proprio così, ma vale la pena approfondire le contestazioni perché raccontano molto del rapporto fra Stato e Chiesa in Italia.

Cominciamo dalla presunta certezza giuridica. È vero che il regime di esenzione "non aveva mai dato problemi fino al 2004". La Cei però evita di spiegare che il "problema" insorto nel 2004 è niente meno che una sentenza della Corte di Cassazione. Un problema non da poco, in uno Stato di diritto.

La legge del '92 sulle esenzioni dall'Ici è stata giudicata illegittima dalla corte suprema, che l'ha modificata nel senso di esentare soltanto gli immobili che "non svolgono anche attività commerciale". La sentenza si applicava a tutti i soggetti interessati all'esenzione Ici: proprietà ecclesiastiche, Onlus, sindacati, partiti, associazioni sportive e così via. Soltanto la Chiesa, tuttavia, ha protestato, e con veemenza. Perché? Forse, perché è l'unica a possedere un impero commerciale di alberghi, ristoranti, cinema, teatri, librerie, negozi. "Il fenomeno ha avuto un'impennata prima del Giubileo," spiegano i tecnici dell'ANCI, "ma negli ultimi dieci anni l'espansione commerciale degli enti religiosi è impressionante." A scatenare il business è stato il combinato disposto fra i miliardi di sovvenzioni statali piovuti con il Giubileo del 2000 e i condoni edilizi approvati dai governi Berlusconi a partire dal 2001, che hanno reso assai più semplici le ristrutturazioni e i cambi di destinazione d'uso degli immobili. Gli enti ecclesiastici hanno generosamente usufruito dei condoni e un po' ovunque, come a piazza Farnese, chiese e conventi hanno lasciato il posto agli hotel religiosi.

Nel 2004 il governo Berlusconi, dopo una discussione minima, ha deciso di tagliare il nodo gordiano dell'esenzione Ici con un colpo secco. Con un decreto del 2005, ha rovesciato la sentenza della Corte di Cassazione e ripristinato l'esenzione totale dell'Ici per i beni della Chiesa, considerati "non commerciali" in eterno, quale che fosse l'attività svolta in concreto. Si è trattato di una trovata pre-elettorale, costituzionalmente assai debole, destinata a lasciare la patata bollente in mano al governo successivo. Con la vittoria del centrosinistra nella primavera del 2006, cambia l'atteggiamento, se vogliamo la forma, ma non la sostanza. Il governo Prodi deve trovare insomma la quadratura del cerchio, fra una laicità di facciata, lo sbandierato europeismo (nel frattempo l'Ue ha chiesto chiarimenti sui privilegi ecclesiastici) e la necessità di contentare la lobby clericale. Il risultato è una capriola cinese, un inghippo da azzeccagarbugli. Con un cavillo inserito nei decreti Bersani, si stabilisce che non devono pagare l'Ici gli immobili a uso "non esclusivamente commerciale". In sostanza, secondo l'ANCI, significa che "il 90-95 per cento delle proprietà ecclesiastiche continua a non pagare". Non esiste infatti albergo religioso, cinema, o perfino libreria, di proprietà ecclesiastica che non adduca la presenza di una cappella, o anche soltanto di una teca, come prova della sua natura "non esclusivamente commerciale". In termini giuridici, il "non esclusivamente commerciale" rappresenta un non senso, un trionfo d'ipocrisia. Nel secolare diritto civile e tributario italiano, la categoria del "non esclusivamente" non era mai apparsa. Un'attività è commerciale, o non lo è: *tertium non datur*. Come si vede, insomma, il regime di esenzione dall'Ici dei beni della Chiesa qualche "controversia" l'ha procurata.

Dove i vescovi hanno ragione, è nel definire "impossibile" il calcolo dell'Ici non pagata. Anche se il tono trionfante dell'"Avvenire" è fuori luogo: il calcolo infatti è impossibile perché i beni della Chiesa non sono mai stati censiti. Nei quasi ottant'anni seguiti alla firma del Concordato, nessuna istituzione statale, fascista o democratica, nessun governo di centro, destra o sinistra, finanche nessuna amministrazione locale "rossa", ha mai provato a fare una stima del patrimonio immobiliare ecclesiastico. L'erario italiano, sovente vessatorio nei confronti delle proprietà di privati cittadini, ha sempre chiuso tutti e due gli occhi sul principale proprietario immobiliare del paese.

A dire il vero, nella fase di presentazione degli emendamenti alla finanziaria per il 2008, il parlamentare radicale Maurizio Turco ne aveva presentato uno volto almeno a rendere obbligatoria la dichiarazione ai Comuni sull'esistenza degli immobili da parte dei proprietari, emendando la legge istitutiva dell'Ici (decreto legislativo del 30.11.1992, art. 10, IV comma); purtroppo, l'emendamento non solo non è passato, ma in commissione è stato addirittura considerato non meritevole di voto, e dunque di discussione in aula. "Uno scandaloso favoritismo," aveva tuonato nell'aula di Montecitorio, nell'aprile del 1995, un giovane parlamentare radicale: Francesco Rutelli. Nel corso di un memorabile ostruzionismo radicale alla Camera contro la proposta di accollare allo Stato altri mille miliardi di lire all'anno per un "fondo per gli edifici di culto", il Rutelli dell'epoca aveva elencato per ore e consegnato agli atti parlamentari un elenco di migliaia di proprietà ecclesiastiche nella sola città di Roma. Inutile dire che lo stesso Rutelli, una volta diventato sindaco di Roma, ha rimesso nel cassetto la proposta di censire gli immobili ecclesiastici nella Città eterna.

"Quante divisioni ha la Chiesa?" è la famosa domanda di Stalin. Chiedersi quante divisioni immobiliari abbia la Chiesa è un interrogativo meno retorico, eppure disperato. A meno di non investire qualche anno di vita e un paio di miliardi di euro in ricerche e in decine di migliaia di visure catastali – impresa superiore ai mezzi dell'autore –, il calcolo sui beni ecclesiastici, e quindi sugli effetti delle esenzioni fiscali, è destinato al fallimento. Nessun privato vi riuscirebbe, e lo Stato non vuole.

Quanto alla Chiesa, fa il possibile per impedirlo e per non collaborare, a livello nazionale come a quello locale. Il patrimonio ecclesiastico è suddiviso in 56 mila sigle di enti in Italia, senza contare l'estero (la Chiesa è una "multinazionale" con 4649 diocesi): un dedalo al cui confronto le "scatole cinesi" in uso nel mondo della finanza risultano un trucco puerile. La holding ufficiale del Vaticano, l'APSA (Amministrazione patrimonio della Sede Apostolica), presieduta dal cardinale Attilio Nicora, ha intestato un patrimonio immobiliare di soli 50 milioni di euro nell'area romana: briciole.

Gli stratagemmi ai quali la Chiesa ricorre per evitare accertamenti fiscali sono infiniti. Ecco un esempio. Nel marzo del 2007, per far fronte all'espansione del turismo religioso, la Cei ha organizzato nella capitale un megaconvegno intitolato *Case per ferie, segno e luogo di speranza*. Gli atti e gli interventi dei relatori, scaricabili dal sito ufficiale della Cei, compongono di fatto un eccellente corso di formazione professionale per operatori turistici, tenuto da esperti del ramo e commercialisti non solo molto preparati – come il noto fiscalista romano Aurelio Curina –, ma anche dotati di una capacità divulgativa singolare per la categoria. Una visita al sito è largamente consigliabile a qualsiasi laico titolare di un albergo, di una pensione, di un bar o di un ristorante che non voglia ammattire dietro alle formule barocche del "fiscalese".

Fra le varie relazioni, fitte di norme civilistico-fiscali, alla voce swiftiana *Qualche modesto suggerimento per difendervi nel prossimo futuro da accertamenti Ici (anche retroattivi)* compare all'improvviso un agile manualetto di elusione fiscale. Pieno di trovate ingegnose utili a mascherare l'esercizio commerciale del turismo con la pratica religiosa. Ai gestori di alberghi religiosi si ricorda allora che: "*a*) l'ospite deve riconoscere la piena condivisione degli ideali e delle regole di condotta della religione cristiana; *b*) l'ospite deve impegnarsi a rispettare gli orari di entrata e di uscita; *c*) la casa per ferie metta a disposizione degli ospiti la propria struttura e il proprio personale religioso per un'assistenza religiosa oltre l'annessa cappella" e così via.

Non importa, attenzione!, che le regole si rispettino davvero. Conta soltanto enunciarle, in modo da scansare gli accertamenti Ici. Quando alle Brigidine in piazza Farnese ho chiesto se avrei dovuto rispettare un regolamento interno, oppure orari particolari, o ancora partecipare a funzioni religiose – dal momento che non sono osservante –, la risposta della suora alla reception è stata un sorriso e la consegna della chiave del portone: "Torni pure all'ora che vuole".

L'assenza di un censimento e la tendenza della Chiesa a spargere nebbie sull'uso reale degli immobili contribuiscono a trasformare il dibattito sui privilegi fiscali in una questione ideologica, un dibattito all'italiana dove all'oggetto del contendere si sostituisce una disputa nominalistica. Ogni volta che si solleva il tema alla stampa cattolica, è facile rispondere con ingiustificati allarmismi: "Vogliono tassare i bar degli oratori!", "Vogliono far pagare l'Ici ai cinema parrocchiali!". In realtà, come mi ha detto il presidente dell'ANCI, il sindaco di Firenze Lorenzo Domenici: "Non si pretende certo l'Ici dal bar o dal cinema dell'oratorio, ma dagli esercizi commerciali aperti al pubblico, in concorrenza con altri: da quelli sì. Abbiamo dato piena autonomia ai singoli Comuni per trovare accordi con le curie locali e compilare elenchi attendibili". Nessuna curia, tuttavia, ha offerto collaborazione agli enti locali nel faticoso lavoro di separare i Templi dai mercati, il culto dal commercio.

Sull'altro fronte, quello anticlericale, sono autorizzate le leggende sul favoloso patrimonio immobiliare della Chiesa. Leggende fino a un certo punto. Dove è possibile verificare il maggior numero di dati – per esempio nella capitale, come faremo più avanti –, i risultati sono sorprendenti. Quasi un quarto di Roma è di proprietà della Chiesa. Le proprietà ecclesiastiche sono tuttavia diffuse in ogni angolo d'Italia, in prevalenza nelle regioni più ricche, Lombardia e Triveneto. In una documentata inchiesta di Sandro Orlando, apparsa su "Il Mondo" del 18 maggio 2007 con il titolo *San Mattone*, l'esperto Franco Alemanni, fondatore del gruppo Re – che non sta per "Real Estate" ma per "Religiosi ecclesiastici" ed è la controllata specializzata nell'intermediazione immobiliare del mondo cattolico –, dichiara: "Il 20-22 per cento del patrimonio immobiliare nazionale è della Chiesa". Senza contare le proprietà all'estero. L'immobiliarista Vittorio Casale, chiamato dal cardinale Joseph Tomko a lavorare a un progetto di ristrutturazione del patrimonio di Propaganda Fide, testimonia: "A metà degli anni novanta, i beni delle missioni si aggiravano intorno agli 800-900 miliardi di lire. Oggi potrebbero valere dieci volte di più". Si tratta, è bene ripeterlo, di calcoli fatti a spanne. Tutti, però, rimandano a scenari grandiosi.

Una prova indiretta della colossale disponibilità immobiliare della Chiesa è stata fornita dalla liquidazione dei risarcimenti milionari chiesti dalle vittime di pedofilia nelle cause collettive contro le diocesi americane. In appena tre anni, la sola curia di Boston ha venduto 200 milioni di dollari in immobili per far fronte ai debiti. Ed è curioso, racconta sempre "Il Mondo", che le diocesi americane si siano affidate per operazioni di tale portata a un personaggio controverso, un trentenne immobiliarista di San Giovanni Rotondo, Raffaello Follieri, con "pochi precedenti di tentativi imprenditoriali nel Foggiano finiti in tribunale, fra insolvenze e protesti, e una breve esperienza in Africa nel trading di oro e diamanti". L'ex devoto di padre Pio finirà poi nel mirino dei media statunitensi per i legami con Vincent Ponte, rampollo di una potente dinastia mafiosa di New York.

Al di là dei conteggi precisi, vale comunque il principio: il privilegio fiscale della Chiesa è in contrasto con la libera concorrenza. Nel sistema italiano, la Chiesa è un importante attore nei campi immobiliare, finanziario, commerciale e turistico, che gode di un vantaggio rispetto agli altri. Nel marzo 2006, questo motivo ha spinto un gruppo di commercianti, ristoratori e albergatori romani a rivolgersi alla commissione per la concorrenza di Bruxelles, con l'assistenza dell'avvocato Alessandro Nucara, specializzato in diritto comunitario, e del solito fiscalista Carlo Pontesilli, per denunciare la violazione in materia di "aiuti di Stato". Ne è nata una lunga, e ancora non risolta, controversia fra l'Unione europea e l'Italia. Alla prima richiesta di chiarimenti da Bruxelles, il governo Prodi da un lato replica che "la norma è chiarissima"; dall'altro, su insistenza del ministro per l'Economia Tommaso Padoa Schioppa, istituisce una commissione per studiare le ambiguità del decreto. Nel novembre 2007, la seconda richiesta di informazioni da parte della commissaria olandese alla Concorrenza, Neelie Kroos: oltre che dell'Ici, si chiede conto della riduzione del 50 per cento di imposte per gli enti ecclesiastici nella sanità e nell'istruzione, del IV comma dell'articolo 149 del Tuir – che lascia a vita "non commerciali" gli enti ecclesiastici – e della deducibilità a fini Irap per le retribuzioni dei sacerdoti. Il governo risponde di non poter trasferire informazioni a Bruxelles, ma invita la commissione a venire in Italia. Insomma, "se proprio ci tenete, venite a prenderle". Una procedura davvero singolare. La crisi di governo ha interrotto il minuetto, fino al prossimo governo.

L'Italia non è certo l'unica nazione europea dove la Chiesa riceve favori fiscali, ma è sicuramente la più riluttante a metterli in dubbio. Negli ultimi anni, l'Unione europea ha ottenuto successo in vari paesi, concordatari e no. Su segnalazione dell'europarlamentare radicale Maurizio Turco, prima il Portogallo – al primo richiamo da parte dell'Ue –, e poi la Spagna – al secondo –, hanno abolito l'esenzione Iva sulle attività ecclesiastiche. In Italia, al secondo richiamo, mezzo schieramento politico ha chiesto al papa di "scomunicare la commissione di Bruxelles".

4.

Turisti in nome di Dio

Dal blog di papa Ratzinger, ufficioso ma benedetto dal Santo Padre, si legge: "Nell'era del low cost, l'Opera romana pellegrini si adegua. La ricerca di Dio si affida a voli rigorosamente a basso costo. Il Boeing 737-300 della flotta Mistral, fondata nel 1981 dall'attore Bud Spencer, e ora targato ORP, è decollato il 27 agosto da Roma con destinazione Lourdes. I pellegrini, 148 fra i quali l'invitato Luciano Moggi, hanno intrapreso il viaggio spirituale supportati da una guida d'eccellenza: il cardinale Camillo Ruini. Il rettore della Pontificia Università Lateranense ha elargito la sua benedizione ai devoti. All'ingresso, le hostess in completo giallo e blu, spilla del Vaticano e fazzoletto giallo al collo, accolgono i passeggeri e li accompagnano al posto. Sul poggiatesta si legge: 'Cerco il tuo volto, Signore'".

È partito con un lancio pubblicitario in grande stile l'accordo fra il Vaticano e la Mistral nel settore del turismo della fede. Per una "ricerca di Dio con voli rigorosamente a basso costo", la Chiesa si affida al testimonial Luciano Moggi, ex dirigente della Juventus all'epoca già rinviato a giudizio per Calciopoli, e alla compagnia delle Poste italiane. La Mistral, fondata da Bud Spencer, è stata salvata durante il governo Berlusconi con un'operazione giudicata fuori mercato perfino da alcuni parlamentari della destra. Un'interrogazione del deputato di An Vincenzo Nespoli sul perché le Poste sborsassero fino a quindici volte il valore nominale delle azioni Mistral – per fare, oltre tutto, concorrenza all'Alitalia in crisi – non ha mai avuto risposta dal governo.

Il patto fra Mistral e l'Opera romana pellegrinaggi per trasportare il primo anno 50 mila pellegrini italiani verso i santuari d'Europa e Terra Santa, con la previsione di arrivare a 150 mila nel 2008 (centocinquantesimo anniversario dell'apparizione di Fatima), non è che la punta dell'iceberg di un affare gigantesco: il turismo religioso. Quasi sempre esentasse.

Il turismo è il primo settore commerciale del mondo per espansione, terzo per margini di profitti dietro il petrolio e il traffico d'armi. Dopo il crollo dei traffici aerei seguito all'attentato dell'11 settembre 2001, il turismo e il trasporto aereo stanno vivendo il più formidabile boom dal dopoguerra, anche grazie all'ingresso nel mercato di centinaia di milioni di nuovi clienti cinesi e indiani. Le prospettive sono rosee, con margini di crescita esponenziale, ma non in Italia. Il Belpaese era la prima meta turistica del mondo fino agli anni ottanta e ora è sceso al quinto posto, mentre la compagnia di bandiera si dibatte fra il fallimento e la svendita. Il problema è che anche l'offerta turistica italiana si è fermata agli anni ottanta, tutta giocata sul richiamo di spiagge e montagne e sul "divertimentificio" da discoteca. Un modello attraente ormai soltanto per i nuovi oligarchi russi che fanno la fila davanti al Billionaire di Briatore. Gli altri milioni di visitatori preferiscono le coste della Croazia o dell'Egitto, le montagne della Slovenia e le altre località sdoganate dalla fine dei conflitti e dai voli low cost, che offrono paesaggi altrettanto belli a prezzi decisamente inferiori.

La domanda di turismo negli anni novanta e fino a oggi si è evoluta, differenziata e raffinata. Nei convegni del settore, da anni il dibattito è orientato su due concetti: turismo sostenibile e turismo vocazionale. Il nuovo cliente non è più un consumatore incallito di luoghi, servizi e merci, ma un viaggiatore interessato più a vivere emozioni ed esperienze che a stordirsi di svago e shopping. Da questo punto di vista, la più antica forma di turismo, il pellegrinaggio, è tornata paradossalmente di gran moda.

Non sarà un caso se, nella crisi, in Italia è soltanto il turismo religioso a viaggiare in controtendenza e a tutta velocità, con un aumento medio del 20 per cento all'anno dal 2000 a oggi. Se ne sono accorti per primi in Romagna, la zona più anticlericale d'Italia, che tuttavia non disdegna di fare affari con i meeting di Comunione e Liberazione e con il "turismo vocazionale" per antonomasia. Il turismo religioso è oggetto di studio nella Scuola superiore del Loisir, la più avanzata del genere in Europa, nella peccaminosa Rimini. D'altra parte, i Comuni dell'Emilia rossa sono i più attivi nel lavoro di recupero e riconversione turistica degli antichi conventi, e la laicissima Toscana è stata la prima regione d'Italia a pubblicare una guida dei luoghi sacri.

La Chiesa cattolica è diventata in pochi anni il *dominus* del settore. Secondo un'indagine di Trademark, la Chiesa controlla ogni anno un traffico di 40 milioni di presenze, 19 milioni di pernottamenti, oltre 200 mila posti letto in 3500 strutture. Il volume d'affari è stimato in 4,5 miliardi di euro all'anno: il triplo del fatturato dell'Alpitour, primo tour operator nazionale. Benché la Trademark, società leader del marketing turistico, sia degna della massima considerazione, la prima volta che ho letto queste cifre mi sono parse talmente esagerate da decidere di non utilizzarle. Ma poche settimane più tardi, per altre strade, il più autorevole quotidiano economico del mondo, il "Wall Street Journal", è arrivato a conclusioni molto simili.

Il turismo è il grande business della Chiesa nel terzo millennio. A pensarci, è l'uovo di Colombo. La Chiesa dispone di mezzi formidabili nel settore. Innanzitutto, l'immenso patrimonio immobiliare, largamente sottoutilizzato. Chiese, conventi e monasteri si svuotano e mantenerli costa sempre di più. In Francia, alcuni sindaci cominciano a ricorrere alle ruspe per risolvere la questione, sull'esempio di un villaggio della Loira, Valanjou, dove con voto unanime della giunta è stata abbattuta una delle tre chiese. Come ha spiegato il sindaco Bernard Briodeau a "Le Monde" del 12 settembre 2007: "Abbiamo tre chiese per duemila abitanti e il restauro di ciascuna costa ogni anno 12 mila euro. Non abbiamo più soldi per le scuole, che cosa avremmo dovuto fare?". Ma provate a immaginare che cosa accadrebbe in Italia, se una giunta decidesse di seguire l'esempio di Valanjou.

Al contrario, da noi gli enti locali e lo Stato fanno a gara per finanziare i beni ecclesiastici. La Chiesa quindi conserva le proprietà e ne accolla ai contribuenti i costi di restauro e gestione. Una situazione ideale. La legislazione in materia di aiuti diretti e indiretti, statali e locali, è una giungla nella quale si rischia subito di perdersi. Proverò a fare qualche esempio. Una legge regionale lombarda, adottata da altre regioni, obbliga i Comuni a versare l'8 per cento degli oneri di urbanizzazione secondaria a "enti istituzionalmente competenti in materia di culto della Chiesa Cattolica". In soldoni, significa che il solo Comune di Milano ha versato nel 2006 la somma di 3 milioni 231 mila 600 euro a favore della Chiesa. Il Comune di Roma nel 2005 ne aveva versati 2 milioni 310 mila, Bologna 679 mila, Firenze 491 mila. Esiste una legge per il finanziamento statale degli oratori cattolici, con un iter assai significativo: promossa nel 2001 dai deputati Luca Volontè, Rocco Buttiglione e altri dell'Udc, fu ripresa e rilanciata l'anno dopo dai deputati verdi Paolo Cento e Luana Zanella, per essere approvata in parlamento quasi all'unanimità, nei due rami. In base a questa legge bipartisan, applicata su base regionale, ai cittadini del Piemonte gli oratori sono costati 4 milioni di euro dal 2002 al 2005, la Liguria ha elargito 6 milioni e mezzo di euro nel triennio 2005-2007, la Lombardia ha stanziato 10 milioni di euro per il 2008-2009. Il record spetta alla Regione Puglia, presieduta dal comunista Nichi Vendola, che con provvedimento del 3 ottobre 2007 ha deciso di destinare a fondo perduto in favore di 125 oratori pugliesi la somma di 12 milioni di euro per la costruzione di strutture sportive. Un capitolo a parte è la gestione dei POR, i contributi europei al recupero del patrimonio culturale. Non solo l'Italia è in fondo alla classifica nello sfruttamento dei fondi comunitari, ma per giunta li spende in larga misura per restaurare beni ecclesiastici. Una regione come la Sicilia destina fino all'80-90 per cento dei fondi di Bruxelles a chiese e proprietà di enti religiosi.

Una volta ristrutturati con i soldi pubblici, molti beni ecclesiastici vengono poi messi sul mercato e venduti per trasformarli in alberghi, realizzando così per la casa madre, il Vaticano, colossali profitti: i cambi di destinazione sono sistematicamente favoriti dalle Soprintendenze. A Roma, soltanto fra le recenti, spiccano le autorizzazioni di vendita del convento di Santa Maria in Gerusalemme, della Casa delle Figlie di Maria Immacolata a Monteverde, dell'Istituto delle suore della Carità di San Vincenzo de' Paoli.

Nel 2007, nel Lazio sono arrivate 257 richieste di vendita di beni ecclesiastici e ne sono state autorizzate 146. A Parma è appena stato venduto, fra le polemiche, il celebre convento dei Cappuccini, destinato a ospitare mini appartamenti. In Emilia Romagna, fra il 2007 e i primi mesi del 2008 sono state autorizzate una ventina di alienazioni: a Reggio Emilia si venderà il palazzo delle Orsoline; a Ferrara, il complesso monastico dei Santi Pietro e Paolo; a Cesena, il convento delle suore della Sacra Famiglia. In Toscana, saranno dismessi il convento di San Francesco a Cortona, l'abbazia Vallombrosiana a Vigesimo nel Mugello, il convento delle Clarisse ad Arezzo, quello delle Benedettine a Monterchi, il convento di Santa Chiara a Santa Fiora. In Abruzzo, i francescani minori hanno messo sul mercato al miglior offerente i loro 46 conventi e i salesiani venderanno la loro Casa da 3500 posti letto nel cuore del Parco Nazionale. "Tutto ciò," scrive Roberta Carlini nell'inchiesta dell'"Espresso", *Conventi a 5 stelle*, "non significa che la Chiesa si stia privando di tutte le sue proprietà. Spesso le transazioni avvengono all'interno dello stesso mondo ecclesiastico." Oppure le proprietà vengono date in concessione a società alberghiere, in cambio di un alto affitto.

Oltre a un sostegno pubblico di tale portata, l'organizzazione ecclesiastica dispone di un'altra risorsa decisiva nel mercato turistico: un personale motivato, qualificato e a basso costo (preti e suore). Terzo elemento è la capillare presenza e conoscenza del territorio – soprattutto l'Italia dell'interno –, i mille meravigliosi borghi che sono una risorsa unica del nostro paese, di sicuro sottovalutata rispetto alle spiagge e ai monti esposti alla concorrenza internazionale. Quarto, la Chiesa cattolica può contare in partenza su una potenziale "clientela fidelizzata" – e quanto "fidelizzata"! – di un miliardo di persone. Quinto e ultimo vantaggio, ma decisivo per la nostra indagine: la Chiesa gode di un regime fiscale di assoluto privilegio rispetto alla concorrenza.

Dal Giubileo in poi, l'organizzazione vaticana si è gettata nell'affare anima e corpo. Il primo passo è stato la riorganizzazione dell'Opera romana pellegrinaggi, che ora può contare su 2500 agenzie convenzionate. L'ORP è presieduta da Camillo Ruini, Vicario di Roma, con Liberio Andreatta vicepresidente, alle dirette dipendenze della Santa Sede. Da un anno, a dirigere l'ORP è stato chiamato da Ruini un nuovo amministratore delegato, un quarantenne manager in abito talare, padre Cesar Atuire, una delle molte prove viventi del sistema rigorosamente meritocratico della struttura cattolica. Originario del Ghana, con alle spalle studi di Ingegneria a Londra e di Filosofia in Germania, conoscitore di una dozzina di lingue, coltissimo e assai dinamico, padre Atuire è in pratica il ministro per il Turismo del Vaticano. E sarebbe anche l'ideale ministro del Turismo per l'Italia, se soltanto l'ex prima potenza turistica del mondo contemplasse questo dicastero.

A fianco dell'ORP, svolge un ruolo importante l'APSA, l'Amministrazione patrimoniale della Santa Sede, che gestisce gli immobili della Chiesa e spesso gli utili alberghieri. Entrambe le società hanno sede nella Città del Vaticano, godono dunque di un regime di extraterritorialità che significa in pratica non dover presentare bilanci e non essere soggette alle leggi italiane in materia fiscale, di igiene, prevenzione ecc. Nelle convenzioni fra l'ORP e i clienti, per esempio, esiste un comma (16) che rimanda "per tutte le eventuali controversie" alla "legge fondamentale dello Stato della Città del Vaticano". E qual è la legge fondamentale della Città del Vaticano? Questa, che su qualsiasi controversia legale, civile o penale, l'ultima parola spetta al papa. Il turista, cattolico o no, che volesse reclamare contro il servizio offerto dovrebbe dunque aspettare la parola definitiva del Santo Padre. A onor del vero, il grado di soddisfazione della "clientela" è piuttosto buono. Soprattutto per i pellegrinaggi organizzati dall'ORP: ottima accoglienza, sicurezza, luoghi piacevoli e prezzi contenuti.

Nonostante l'impossibilità di controllare la gestione dei fondi, lo Stato italiano favorisce in vari modi l'ORP, patrocinata anche dal ministero delle Comunicazioni. L'extraterritorialità, del resto, è una regola piuttosto diffusa per le attività commerciali della Chiesa, come testimonia anche il caso della sanità. In tutti i settori, tanto più quelli in espansione come il turismo, si traduce in un comodo ombrello fiscale. Non si tratta soltanto dell'Ici non pagata per alberghi, ristoranti, bar di proprietà degli enti ecclesiastici, ma anche del mancato gettito di Irpef, Irap e altre imposte. I lavoratori delle "case religiose" – sempre più spesso veri e propri alberghi rintracciabili nel circuito commerciale normale – sono sovente suore, o preti, o volontari legati da contratti di collaborazione. Quindi per loro non si devono pagare le imposte sul lavoro dipendente. Il sistema di tutele dei lavoratori è pure aleatorio. Nella Chiesa non esistono sindacati. Padre Atuire scherza sulla questione: "A un giornalista che gli chiedeva quanta gente lavorasse in Vaticano, Giovanni XXIII rispose: 'La metà'". Ma se i dipendenti vaticani non sono celebri per il loro stachanovismo, lo stesso discorso non si può fare per le decine di migliaia di precari impiegati nella struttura dei servizi turistici, spesso sottoposti a turni massacranti.

Nel sito della Cei, a questo proposito, si legge negli ultimi tempi una ricorrente lamentela per il fatto che, visti gli indici di crescita, la catena turistica religiosa deve ricorrere sempre più spesso a personale "esterno". "Il personale esterno," nota la Cei, "non garantisce le stesse prestazioni di suore e preti." Per giunta, pretende di essere pagato per gli straordinari e cerca di introdurre qualche tutela. Sia pure con i limiti enormi di libertà imposti dalla giurisdizione pontificia.

I privilegi fiscali della Chiesa si traducono in un vantaggio sulla concorrenza e nella possibilità di praticare prezzi fuori mercato. Nel volgere di quattro o cinque anni, il volume d'affari potrebbe sfondare il tetto dei 10 miliardi di euro. Non si tratta soltanto di turismo "povero" o "low cost". Sono ormai un centinaio i monasteri-alberghi entrati nei network Condé Nast, Relais & Châteaux, o Leading Hotels of the World. Per quanto soltanto la metà circa siano ancora di proprietà ecclesiastica. Ma si tratti di due, tre, quattro o cinque stelle, i prezzi sono sempre inferiori a quelli praticati dalla concorrenza, grazie alle minori spese. A Roma, ogni anno le case religiose tolgono clienti ai normali alberghi in ogni quartiere, centro o periferia. Dalle Brigidine di piazza Farnese (190 euro per un quattro stelle) ai Carmelitani di Castel Sant'Angelo, che offrono camere con frigobar, tv satellitare e aria condizionata a 120 euro, fino ai "tre stelle" a 60 o 70 euro. Lo stesso discorso vale per altri ameni luoghi di soggiorno, per esempio quello gestito dalle celebri Orsoline di Cortina e il monastero di Camaldoli nell'Aretino, mete di turismo intellettuale, culturale e politico d'alto bordo. Se si scende al livello del turismo di massa i prezzi calano, in compenso il fatturato esplode.

Tutto è cominciato con la pioggia di miliardi di lire (3500 soltanto nel Lazio) versati dall'erario alla Chiesa per il Giubileo: la chiave di volta per la riconversione del patrimonio immobiliare ecclesiastico in moderne strutture alberghiere. Ma quella pioggia non si è limitata all'evento, anzi, ha continuato a scorrere in mille piccoli rivoli.

Intendiamoci: sarebbe ingiusto e sciocco bollare tutti i finanziamenti pubblici al turismo religioso soltanto come l'ennesimo obolo di Stato alla Chiesa. Alcuni progetti dell'ORP sono davvero belli e avranno una ricaduta molto positiva per i territori interessati. È il caso del recupero delle antiche vie dei pellegrini, in cima la grande Via Francigena, lo splendido cammino dal Gran San Bernardo a Roma voluto mille anni fa dall'arcivescovo di Canterbury, Sigerico. E poi la Via dell'Est, che da Venezia attraversa Romagna e Umbria, o ancora il Cammino del Sud da Roma allo splendore di Otranto. Ovunque non c'è stato Comune, o Provincia, o Regione, o Comunità montana, governata da destra o da sinistra, che non si sia accollato finanziamenti. Ma almeno si tratta di operazioni d'alto profilo culturale e sociale. Non soltanto per i credenti. "L'Opera non chiede ai pellegrini un atto di fede," dice padre Atuire. E in effetti sono molti i pellegrini "laici".

Camminare insieme agli altri, scoprire a piedi la vita dell'Italia minima, può diventare un'esperienza indimenticabile. Oltre che salutare per le coronarie. È la forma di turismo praticata per secoli dagli europei, negli intervalli fra una guerra e l'altra, un modo per conoscersi lento, gentile e pensoso (dalle rime dantesche: "*Deh, peregrini, che pensosi andate...*").

La pensosità gentile non è tuttavia il tratto dominante di altri fenomeni di turismo religioso. A cominciare dal maggior investimento degli ultimi anni, il santuario di padre Pio a San Giovanni Rotondo. È vero che un po' ovunque nei santuari europei, da Medjugorje a Fatima, i mercanti si sono impadroniti del Tempio. (Ricordo vent'anni fa, da giornalista sportivo, due giorni da incubo a Lourdes, dove arrivava una tappa del Tour de France. La camera d'albergo era fedele al nome dell'hotel – La passion –, angusta, senza televisore, né frigo, né telefono, ma al prezzo di un cinque stelle superlusso. Ristoranti e bar, pullulanti di sedicenti infermiere nottambule e vistose, offrivano cibo pessimo e un conto da stella Michelin. All'alba, in attesa della liberatoria partenza di tappa, ho assistito a una rissa fra negozianti sul prezzo dei crocifissi in vetrina, secondo uno dei due troppo concorrenziale.)

Ma il luna park religioso allestito intorno ai luoghi di padre Pio non ha paragoni al mondo. La grandiosa polemica sulla figura storica di padre Pio è una di quelle che si evitano volentieri, quindi stiamo ai fatti. Per un secolo, l'intero Novecento, quasi tutti i papi, da Benedetto XVI a Giovanni Paolo I – almeno quando era Patriarca di Venezia –, hanno trattato il frate di Pietrelcina come un istrione truffatore e politicante, pronto a sfruttare il retaggio di superstizione pagana di alcune lande del Sud così ben indagato dal grande antropologo Ernesto De Martino. Un atteggiamento fondato su inchieste serie, dati certi, ribaditi a distanza di decenni. Padre Agostino Gemelli, il celebre medico psicologo cui è intitolato l'ospedale romano, nel 1920, inviato in missione in loco, diagnostica per padre Pio "tutte le caratteristiche dell'isterico e dello psicopatico". Le famose stigmate sarebbero "un bluff... il frutto di un'azione patologica morbosa... Un ammalato che si procura lesioni da sé". Nel 1960, il Vaticano invia un'altra missione per indagare sul luogo, guidata da monsignor Carlo Maccari. I risultati sono così devastanti da indurre papa Giovanni XXIII ad annotare: "Ricevo informazioni gravissime su padre Pio e quanto concerne San Giovanni Rotondo [...]. L'accaduto, cioè la scoperta per mezzo di filmini dei suoi rapporti intimi e scorretti con le femmine che costituiscono la sua guardia pretoriana, fa pensare ad un vastissimo disastro di anime, diabolicamente preparato, a discredito della Santa Chiesa nel mondo, e qui in Italia specialmente [...]. Un immenso inganno" è la conclusione.

Nel 2002, papa Karol Wojtyla decise che i suoi predecessori non erano poi così infallibili e lo fece proclamare santo "subito", come va di moda. In contemporanea, è partita una famelica speculazione sul culto del santo. In pochi mesi, migliaia di abitanti della zona di San Giovanni Rotondo si sono improvvisati ristoratori e albergatori, venditori di reliquie, guide e teologi di pronto intervento, miracolati. Miracolati, sì, ma dalla pioggia di sovvenzioni di Stato e degli enti locali. Nel decennio 1995-2005, la Puglia è balzata al primo posto fra le regioni italiane per nuove strutture alberghiere (più 30 per cento, con un più 42 per cento di posti letto), con San Giovanni Rotondo protagonista del boom. Nella Lourdes italiana sono spuntati 200 alberghi, oltre 100 ristoranti, decine di parcheggi e una sala Bingo per pellegrini. Senza contare l'Aula liturgica, la chiesa da 50 mila posti disegnata da Renzo Piano, bellissima ma semivuota. La sanità è un altro ramo ricco del business, a partire dalla Casa Sollievo della Sofferenza, megaospedale religioso con 1000 posti letto, 100 mila metri quadrati di estensione e circa 2 mila dipendenti. In gran parte finanziato dalla convenzione pubblica. E poi la Casa cenacolo di sant'Andrea, la Casa per anziani di padre Pio, il Centro riabilitazione motoria, il Centro accoglienza santa Maria delle Grazie, tutti convenzionati.

Nell'euforia, Stato ed enti locali finanziano di tutto, perfino un improbabile musical sulla vita di Francesco Forgione, in arte padre Pio, con costumi griffati e balletti di indemoniate, alla cui prima ha assistito, in prima fila, il presidente della Regione Puglia, Nichi Vendola, accanto al segretario di Stato vaticano, Tarcisio Bertone.

Ma il boom si rivela presto un boomerang. La disinvolta gestione dell'"affare padre Pio" da parte dei frati cappuccini, coinvolti in brutte storie di truffe, convince la Santa Sede a inviare a San Giovanni Rotondo una specie di commissario, Domenico D'Ambrosio, arcivescovo di Manfredonia. È il segnale di un tardivo ripensamento. Scrive Raffaele Lorusso su "Repubblica": "Il sogno di trasformare quest'angolo di Capitanata in un moderno Eldorado della fede, alimentato dai generosi stanziamenti pubblici, è svanito già alla fine del Giubileo del 2000 [...]. I dati di Confcommercio, riferiti al 2006, sono impietosi: il tasso di occupazione alberghiera è di appena 100 giorni l'anno: 500 mila persone. Questo significa che l'offerta – 7 mila posti letto – è sproporzionata rispetto alla domanda. Che rimane infatti bassissima". Gli imprenditori chiedono ora di poter chiudere le attività e trasformare gli alberghi in edilizia privata. Ulteriore speculazione, impedita però dalla convenzione con il Comune di San Giovanni Rotondo, che vieta di cambiare la destinazione d'uso per almeno venticinque anni. L'unico a riportare la vittoria nel contenzioso con il Comune è, guarda caso, il commissario vaticano, monsignor D'Ambrosio, che ottiene di cambiare la destinazione d'uso della Casa per anziani in 250 mini appartamenti da mettere sul mercato, con grande rivalutazione del patrimonio immobiliare. Per gli altri, le prospettive sono nere. Un quarto di secolo da trascorrere in alberghi enormi e semivuoti che ricordano l'Overlook Hotel di *Shining*, il capolavoro di Stanley Kubrick. È nata così l'idea di riesumare la salma del santo e di esporla all'adorazione delle masse, ultimo disperato e macabro tentativo di animazione turistica.

5.

Un'ora che vale un miliardo

L'ultima ondata di bullismo ha convinto il governo a istituire dall'anno scolastico 2008-2009 due ore di educazione civica obbligatoria – chiamata Cittadinanza e Diritti umani – in ogni ordine d'insegnamento, dalle materne ai licei. Durissima la protesta dei vescovi, che hanno parlato di "catechismo socialista" e invitato le associazioni di insegnanti e genitori cattolici a scendere in piazza e ad avvalersi dell'obiezione di coscienza. Il presidente del Consiglio ha risposto in televisione che, pur nel rispetto totale della maggioranza cattolica del paese, la laicità dello Stato resta un valore fondante della democrazia e che l'educazione civica non può essere considerata in competizione con l'ora facoltativa di religioni (cattolica come ebraica, islamica o luterana) già prevista nei programmi. Il premier ha aggiunto di voler confermare i tagli ai finanziamenti delle scuole private cattoliche e non, definiti "un ritorno alla legalità costituzionale" rispetto alla politica del precedente governo di destra.

A questo punto, forse il lettore si sarà domandato: "Ma dov'ero quando è successo tutto questo?". In Italia. Mentre la vicenda naturalmente si è svolta altrove, nella Spagna del governo di José Luis Rodríguez

Zapatero, nella primavera del 2007. Il braccio di ferro fra Stato laico e vescovi è andato avanti e oggi il governo spagnolo studia addirittura una revisione del Concordato del 1979. Una realtà lontana da noi. Nelle scuole italiane, più devastate dal bullismo di quelle spagnole, l'ora di educazione civica è stata abolita alle primarie ed è quasi inesistente alle superiori. È questa la vera ora facoltativa. Lo Stato in compenso si preoccupa di tutelare e rendere di fatto obbligatoria l'ora di religione, al singolare: cattolica. Quanto ai finanziamenti alle scuole private cattoliche, in teoria vietati dall'articolo 33 della Costituzione ("Enti e privati hanno il diritto di istituire scuole ed istituti di educazione, senza oneri per lo Stato"), l'ultimo governo di centrosinistra, con il ministro Fioroni all'Istruzione, si è impegnato a battere i record di generosità stabiliti ai tempi di Berlusconi e Letizia Moratti.

L'ora facoltativa di religione costa ai contribuenti italiani circa un miliardo di euro all'anno. È la seconda voce di finanziamento diretto dello Stato alla confessione cattolica, di pochi milioni inferiore all'otto per mille. Ma rischia di diventare in breve la prima. L'ultimo dato ufficiale del ministero parla di 650 milioni di spesa per gli stipendi agli insegnanti di religione, ma risale al 2001, quando erano 22 mila e tutti precari. Nel 2008 sono diventati 25.679, dei quali 14.670 passati di ruolo, grazie a una rapida e un po' farsesca serie di concorsi di massa inaugurata dal governo Berlusconi nel 2004 e proseguita dal governo Prodi.

Il regalo del posto fisso agli insegnanti di religione è al centro di infinite diatribe legali. Per almeno due ordini di ragioni. La prima obiezione è di principio. L'ora di religione è un insegnamento facoltativo e in quanto tale non dovrebbe prevedere docenti di ruolo. Per giunta, gli insegnanti di religione sono scelti dai vescovi e non dallo Stato, tema su cui pende un giudizio della Commissione Europea. Ma se la diocesi ritira l'idoneità, come può accadere per mille motivi (per esempio, una separazione), lo Stato deve comunque accollarsi l'ex insegnante di religione fino alla pensione. L'altra fonte di polemiche è la disparità di trattamento economico fra insegnanti "normali" e di religione. A parità di prestazioni, gli insegnanti di religione guadagnano infatti più dei colleghi delle materie obbligatorie. Erano già i precari della scuola più pagati d'Italia. Per uno dei tanti misteri burocratici italiani, una disposizione di legge che assegnava uno scatto biennale di anzianità del 2,5 per cento sullo stipendio a tutti i precari è stata infatti applicata soltanto a una categoria: gli insegnanti di religione. Il vantaggio è stato confermato, e anzi consolidato, con il passaggio in ruolo. L'inspiegabile privilegio ha spinto prima decine di precari, e ora centinaia di insegnanti di ruolo di altre materie, a promuovere cause legali di risarcimento, assistiti a livello nazionale dal giuslavorista Claudio Zaza. Nel caso, per nulla remoto, in cui le richieste fossero accolte dai tribunali del lavoro, lo Stato dovrebbe sborsare una cifra non inferiore al miliardo di euro.

A parte le questioni legali, chiunque ricordi che cos'era l'ora di religione ai suoi tempi, e oggi chiunque trascorra una mattinata nella scuola dei propri figli, non può evitare di porsi una domanda. Vale la pena spendere un miliardo di euro all'anno, in tempi di tagli feroci all'istruzione, per mantenere questo "relitto concordatario", come l'ha definito lo scrittore cattolico Vittorio Messori? Allo stato dell'arte, l'ora di religione si risolve nella pratica quotidiana in uno strano ibrido di animazione sociale e vaghi concetti etici destinati a rimanere nella testa degli studenti lo spazio d'un mattino. Pochi cenni sulla Bibbia, quasi mai letta – anche perché, come si divertiva a notare tanti anni fa l'Umberto Eco di *Diario minimo*, il racconto gronda sesso e violenza ed è in definitiva assai poco adatto all'infanzia. Al massimo, qualche breve e reticente riassunto di storia della religione, una volta epurate le parti cruente. Che cosa resta?

In Europa, il tema dell'insegnamento religioso nelle scuole pubbliche è al centro di un vivace e colto dibattito, ben al di sopra delle risse fra clericali e anticlericali. Nello Stato più laico del mondo, la Francia, l'intellettuale Régis Debray, amico del Che Guevara e consigliere di Mitterrand, a suo tempo ha rotto il monolitico fronte laicista sostenendo l'utilità di inserire nei programmi scolastici lo studio della storia delle religioni. In Gran Bretagna, la teoria del celebre biologo Richard Dawkins (*L'illusione di Dio*), ripresa dallo scienziato Nicholas Humphrey, secondo il quale "l'insegnamento scolastico di fatti non oggettivi e non provabili, come per esempio che Dio ha creato il mondo in sei giorni, rappresenta una violazione dei diritti dell'infanzia, un vero abuso", ha suscitato un ricco dibattito pedagogico. È un fatto, ricorda Dawkins, che "noi non esitiamo a definire un bambino cristiano o musulmano, quando è troppo piccolo per comprendere questi argomenti, mentre non diremmo mai di un bambino che è marxista o keynesiano. Con la religione si fa un'eccezione". Ed è un'eccezione che ti marchia per tutta la vita, come possono testimoniare gli sventurati che si sono iscritti alle associazioni per lo sbattezzo. Liberarsi dell'etichetta religiosa, ricevuta all'atto della nascita, è una fatica enorme e spesso anche inutile. È famosa la battuta irlandese: "Sì, ma sei ateo cattolico o ateo protestante?".

In Germania, Spagna, perfino nella cattolicissima Polonia di Karol Wojtyla, il dibattito non si è limitato alle pagine dei giornali ma ha prodotto cambiamenti nelle leggi e nei programmi scolastici, come l'inserimento di altre religioni (Islam ed ebraismo, per esempio) fra le scelte possibili, o la trasformazione dell'ora di religione in storia delle religioni comparate, tendenze ormai generali nei sistemi continentali. L'Italia è l'unica nazione democratica in cui l'ipotesi di allargare l'insegnamento religioso ad altre confessioni, oltre la cattolica, non è stata neppure presa in considerazione. Per quanto si tratti di una palese negazione del principio fondante di ogni democrazia, ovvero l'uguaglianza delle confessioni religiose davanti allo Stato. L'ora di religione soltanto cattolica è un dogma. La proposta di affiancare all'ora di cattolicesimo altre religioni, come avviene in tutta Europa con le sole eccezioni di Irlanda e dell'ortodossa Cipro, procura un'immediata patente di estremismo, anticlericalismo viscerale, lobbismo ebraico o addirittura simpatie per Al Qaeda. Quanto ad abolirla, come in Francia, è un'idea che non sfiora neppure le menti laiche. Gli unici ad avere il coraggio di proporlo sono stati, come spesso accade, alcuni intellettuali cattolici. Il già citato Vittorio Messori, per esempio: "Fosse per me, la cancellerei subito. In una prospettiva cattolica la formazione religiosa può essere solo una catechesi e nelle scuole statali, che sono pagate da tutti, non si può e non si deve insegnare il catechismo. Lo facciano le parrocchie a spese dei fedeli... Perciò ritiriamo i professori di religione dalle scuole pubbliche e assumiamoli nelle parrocchie tassandoci noi credenti".

Messori liquida anche gli aiuti di Stato alle scuole cattoliche, negati per mezzo secolo dalla Democrazia cristiana, inaugurati con la legge 62 del 10 marzo 2000 dal governo D'Alema con Luigi Berlinguer all'Istruzione, dilagati nel periodo Berlusconi-Moratti (con il trucco dei "bonus" agli studenti per aggirare la Costituzione) e mantenuti dal ministro Beppe Fioroni, con giuramento solenne davanti alla platea ciellina del meeting di Rimini: "Lo Stato si limiti a riconoscere che ogni scuola non statale in più consente risparmio di danaro pubblico e di conseguenza conceda sgravi fiscali. Niente di più". Il cardinale Carlo Maria Martini, da arcivescovo di Milano, aveva dichiarato che l'ora di religione delle scuole italiane doveva ritenersi inutile o anche "offensiva", raccomandando di raddoppiarla e farne una materia seria di studio, oppure lasciar perdere. La Cei ha sempre risposto che l'ora di religione è un successo, raccoglie il 92 per cento di adesioni, a riprova delle profonde radici del cattolicesimo in Italia. Ma se la Cei ha tanta fiducia nei fedeli, non si capisce perché chieda (e ottenga dallo Stato) che l'ora di religione sia sempre inserita a metà mattinata e mai all'inizio o alla fine delle lezioni, come sarebbe ovvio per un insegnamento facoltativo. Perché chieda (e sempre ottenga), nei fatti, il non svolgimento dell'ora alternativa. D'altra parte, la sicurezza ostentata dai vescovi si scontra con l'allarme lanciato nella relazione della Cei dell'aprile 2007 sul progressivo abbandono dell'ora di religione, con un tasso di rinuncia che parte dal 5,4 per cento delle elementari e arriva al 15,4 delle superiori (con punte del 50 non solo nelle regioni "rosse" come la Toscana o l'Emilia-Romagna, ma anche in Lombardia e nelle grandi città), man mano che gli studenti crescono e possono decidere da soli.

L'alta adesione nelle scuole materne ed elementari si spiega anche con le continue, sottili (ma non sempre) pressioni che i genitori ricevono perché i bambini vengano iscritti all'ora di religione. Pressioni tanto maggiori quanto più piccoli sono i figli. Con qualche secolo di anticipo su Sigmund Freud, i gesuiti hanno intuito che i primi anni di vita sono decisivi per la formazione di un individuo. Nel corso dell'inchiesta che ho condotto per "la Repubblica" ho ricevuto molte testimonianze di questi piccoli o grandi ricatti, alcune drammatiche. Non le citerò per non creare altri problemi ai protagonisti. Ma posso parlare del *mio* caso.

Personalmente, non ho nulla contro l'insegnamento delle religioni, purché liberamente scelto. Aggiungo di aver ricevuto, come molti italiani, un'educazione cattolica. Sono stato a scuola dai preti, da piccolo, e non ne ho riportato alcun trauma. Anzi, ho soltanto buoni ricordi dei tre anni – dalla terza alla quinta elementare – passati all'Opera Don Calabria, periferia nord di Milano, accanto al Parco Lambro, fra maestre cattoliche e preti: quasi tutti veronesi, di famiglia operaia e contadina, bravi insegnanti, ottime persone e in qualche caso memorabili allenatori di calcio. Ma nessuno potrà mai convincere mia moglie e me della necessità di imporre un insegnamento religioso a un bimbo di cinque anni e dunque non abbiamo iscritto nostro figlio Zeno all'ora di religione. Una maestra della scuola statale mi ha chiesto con aria avvilita se ero per caso ebreo osservante, o luterano, o di altri culti, e mi ha spiegato che questo avrebbe risolto tutto perché molti genitori ebrei, luterani "o perfino islamici" iscrivevano ugualmente i figli all'ora di religione cattolica "per non farli sentire isolati". Il discorso, confesso, non mi è piaciuto. Ma sempre meglio di quanto si è sentito rispondere un nostro amico: "Se suo figlio non farà l'ora di religione, gli toccherà rimanere da solo a giocare nei corridoi".

Quando c'è l'ora di religione, mio figlio e gli altri "renitenti" vengono presi e portati in un'altra classe, mentre a mio parere dovrebbe essere il contrario, come per le altre attività facoltative, svolte in luoghi diversi dall'aula. L'insegnante di religione è una laica che lascia ampiamente rimpiangere il prete con la tonaca della mia infanzia, portatore di un messaggio chiaro ed esplicito di fronte al quale era più facile difendersi con il dubbio.

Ma torniamo da dove eravamo partiti, l'esempio spagnolo. Il confronto sull'ora di religione e sulle scuole cattoliche in Spagna ha inaugurato un 2007 di terribile scontro fra il governo socialista e i vescovi, culminato in una furibonda collutazione elettorale. La Chiesa cattolica spagnola ha mosso le piazze e dato chiara indicazione di non votare per la sinistra. Il premier spagnolo ha continuato sulla stessa linea, senza cedere su un singolo punto, nonostante i consigli moderati di alcuni vecchi del partito, in testa Felipe González ("vecchio" in termini spagnoli: da noi, a sessantacinque anni, sarebbe nel pieno della giovinezza politica). Il 9 marzo 2008 il Psoe di Zapatero ha trionfato alle elezioni con undici milioni di voti, il 44 per cento. È un modello da seguire, per i nostri timidissimi laici di sinistra? La reazione nella vecchia Italia sarebbe forse diversa rispetto alla giovane Spagna, in caso di conflitto aperto fra il Vaticano e una parte politica. Ma un errore tipico della sinistra è di confondere le opinioni delle masse cattoliche con quelle dei vescovi. Nel caso dei referendum sul divorzio e sull'aborto, si è constatato che non coincidono. In quello che le gerarchie chiamano "il gregge dei fedeli", il numero di pecorelle dotate di ampia autonomia di pensiero sui temi dell'etica, dei diritti civili e della vita sessuale costituisce ormai l'ampia maggioranza. I margini per una più decorosa difesa della laicità democratica ("Un sistema o è laico, o non è democratico," osserva il costituzionalista Sergio Lariccia) ci sarebbero. Senza bisogno di copiare l'esempio spagnolo, basterebbe richiamarsi alla tradizione politica italiana pre-fascista. In fondo, per sessant'anni – dalla breccia di Porta Pia al Concordato del 1929 – in Italia l'ora di religione non c'è stata e nelle scuole statali non erano previsti crocifissi. Dal Risorgimento in poi, ha prevalso nella cultura politica la matrice autoritaria, a destra, al centro e a sinistra, e un'inconfessata invidia per come la Chiesa guida il proprio "gregge".

La rimozione della cultura laica nella sinistra italiana può essere illustrata da un piccolo esempio. Nel dicembre 2007, è bastata un'intervista su "Famiglia Cristiana" del segretario di Stato vaticano, Tarcisio Bertone, per spaccare la sinistra di governo e frenare la tremula spinta laica del gabinetto Prodi sui Dico. Il cardinal Bertone aveva detto, fra l'altro, che "il Partito comunista di Gramsci, Togliatti e Berlinguer non avrebbe mai approvato questo genere di deriva laicista". La singolare lezione di storia è stata accolta da un assordante silenzio, a sinistra. Ora, su Togliatti e Berlinguer si può discutere, ma su Gramsci proprio no.

Nei *Quaderni dal carcere*, si legge una spietata analisi del ruolo politico ricoperto dalla Chiesa nel fallimento dell'Italia come nazione. La laicizzazione completa della società è per l'autore un "compito prioritario del movimento operaio". Tutta l'opera gramsciana è costellata di giudizi negativi sull'azione politica di Oltretevere, fino alla nota conclusione: "Il Vaticano rappresenta la più grande forza reazionaria esistente in Italia. Per la Chiesa, sono dispotici i governi che intaccano i suoi privilegi e provvidenziali quelli che, come il fascismo, li accrescono".

In una corrispondenza del 1924, Gramsci descrive così all'Internazionale la struttura della Chiesa cattolica: "In Italia, l'apparato ecclesiastico del Vaticano comprende circa 200.000 persone: cifra impressionante, soprattutto se si tiene conto che comprende migliaia e migliaia di persone dotate di intelligenza, cultura, abilità consumata nell'arte dell'intrigo e della preparazione e condotta metodica e silenziosa di disegni politici. Molte di queste persone incarnano le più antiche e sperimentate tradizioni di organizzazione delle masse e, di conseguenza, costituiscono la più grande forza reazionaria esistente in Italia. Forza tanto più temibile in quanto insidiosa e inafferrabile. Il fascismo prima di tentare il suo colpo di Stato dovette trovare un accordo con essa. Si dice che il Vaticano, benché molto interessato all'avvento del fascismo al potere, ha fatto pagare molto caro il suo appoggio. Il salvataggio del Banco di Roma [nel 1923, *N.d.A.*], dove erano depositati molti fondi ecclesiastici, è costato, a quel che si dice, più di un miliardo di lire al popolo italiano".

L'unica spiegazione possibile è che il cardinal Bertone non abbia mai letto l'opera di Gramsci. Ma il dubbio è se l'abbiano mai compulsata i dirigenti della sinistra. Oppure come mai, dopo averla letta, preferiscano dimenticarla. La polemica sulla "questione vaticana" è sistematicamente censurata nei convegni gramsciani, a cominciare da quelli organizzati da Rifondazione comunista. Con un'azione parallela, dai convegni sulla scuola organizzati dalla Chiesa è sparito il più grande dei suoi pedagoghi: Lorenzo Milani. L'idea di Milani sull'insegnamento della religione era semplice ed economica: "Sta tutto nel catechismo, che ciascuno può portarsi a casa con poche lire".

6.
I misteri dello Ior

Il cattolicesimo è l'unica religione a disporre di una dottrina sociale, fondata sulla lotta alla povertà e la demonizzazione del danaro, "sterco del diavolo". Vangelo secondo Matteo: "È più facile che un cammello passi nella cruna dell'ago, che un ricco entri nel Regno dei Cieli". Ma è anche l'unica religione ad avere una propria banca per maneggiare affari e investimenti, l'Istituto opere religiose.

La sede dello Ior è uno scrigno di pietra all'interno delle mura vaticane. Una suggestiva torre del Quattrocento, fatta costruire da Niccolò V nel 1493, l'anno della caduta di Costantinopoli, come simbolo di baluardo della cristianità assediata. Ha mura spesse nove metri alla base. Si entra attraverso una porta discreta, senza una scritta, una sigla o un simbolo. Soltanto il presidio delle guardie svizzere notte e giorno ne segnala l'importanza. All'interno, si trovano una grande sala di computer, un solo sportello e un unico bancomat.

Attraverso questa cruna dell'ago passano immense e spesso oscure fortune. Le stime più prudenti calcolano 5 miliardi di euro di depositi. La banca vaticana offre ai correntisti – fra i quali, come ha ammesso una volta il presidente Angelo Caloia, "qualcuno ha avuto problemi con la giustizia" – rendimenti superiori ai migliori hedge fund e un vantaggio inestimabile: la totale segretezza. Più impermeabile ai controlli delle Isole Cayman, più riservato delle banche svizzere, l'Istituto vaticano è un vero paradiso (fiscale) in Terra. Non è contemplata una sola norma antiriciclaggio. Nessuna autorità internazionale è mai stata ammessa a fare un controllo. Un libretto d'assegni con la sigla "Ior" non esiste neppure. Gran parte dei depositi e i passaggi di danaro avvengono in contanti o in lingotti d'oro. Nessuna traccia.

Da vent'anni, da quando si è chiuso il processo per lo scandalo del Banco Ambrosiano, lo Ior è un buco nero in cui nessuno osa guardare. Per uscire dal crac che aveva rovinato decine di migliaia di famiglie, la banca vaticana versò ai liquidatori 250 milioni di dollari. Meno di un quarto rispetto ai 1159 milioni di dollari dovuti secondo l'allora ministro del Tesoro, Beniamino Andreatta. Lo scandalo fu accompagnato da infinite leggende e da una scia di cadaveri eccellenti. Michele Sindona avvelenato nel carcere di Voghera, Roberto Calvi impiccato sotto il Blackfriars Bridge a Londra, il giudice istruttore Emilio Alessandrini ucciso dai colpi di Prima Linea, l'avvocato Giorgio Ambrosoli freddato da un killer della mafia venuto dall'America al portone di casa. Senza contare il mistero più inquietante: la morte di papa Luciani, dopo soli trentatré giorni di pontificato, alla vigilia della decisione di rimuovere Paul Marcinkus e i vertici dello Ior. Sull'improvvisa fine di Giovanni Paolo I si sono alimentate macabre dicerie, anche per effetto della reticenza vaticana. Non vi sarà autopsia per accertare il presunto e fulminante infarto e non sarà mai trovato in Vaticano il taccuino con gli appunti sullo Ior che secondo molti testimoni il papa aveva portato a letto l'ultima notte.

Era lo Ior di Paul Marcinkus, il figlio di un lavavetri lituano, nato a Cicero (Chicago) a due strade dal quartier generale di Al Capone, protagonista di una delle più clamorose quanto inspiegabili carriere nella storia recente della Chiesa. Alto e atletico, buon giocatore di baseball e golf, era stato l'uomo che aveva salvato Paolo VI dall'attentato nelle Filippine del 1970, disarmando con piglio da esperto l'artista boliviano che voleva accoltellare il Santo Padre.

Ma il gesto eroico forse non basta a spiegare la simpatia di un intellettuale ascetico come Giovanni Battista Montini – allievo di Maritain, autore della più avanzata enciclica della storia, la *Populorum progressio* –, per questo prete americano dai modi spicci, perennemente atteggiato ad avventuriero di Wall Street, con le mazze da golf nella fuoriserie, l'Avana incollato alle labbra, le stupende segretarie bionde, gli amici di poker della P2. Un prete guascone, che in pieno crac Ambrosiano si giustificava così: "Non si può dirigere la Chiesa con le Avemarie".

Morto papa Luciani, e con lui l'ipotesi di bonificare lo Ior, Paul Marcinkus trova subito un'intesa con il successore al soglio di Pietro. A Karol Wojtyla piace molto, quel figlio di immigrati dell'Est che parla bene il polacco, odia i comunisti e si dimostra così sensibile alle lotte di Solidarność. Nel clima culturale dell'epoca, dominato dalla Ostpolitik condotta dal cardinal Agostino Casaroli, nel nome del dialogo fra la Santa Sede e le nomenklature dell'Est, al papa che sconfiggerà il comunismo non pare vero di potersi sfogare sul Satana rosso con uno dei pochi che la pensano come lui.

Quando i magistrati di Milano spiccano mandato d'arresto nei confronti di Marcinkus, il Vaticano si chiude come una roccaforte per proteggerlo, rifiuta ogni collaborazione con la giustizia italiana, sbandiera i passaporti esteri e l'extraterritorialità. A Wojtyla ci vorranno altri dieci anni per decidersi a rimuovere uno dei principali responsabili del crac Ambrosiano dalla presidenza dello Ior. Ma senza mai spendere una parola di condanna, e neppure di velata critica: Marcinkus era e rimane per le gerarchie cattoliche "una vittima", anzi, "un'ingenua vittima". Dal 1989, con l'arrivo alla presidenza di Angelo Caloia – un galantuomo della finanza bianca, amico e collaboratore di Giovanni Bazoli –, molte cose dentro lo Ior cambiano. Altre no.

Il ruolo di bonificatore dello Ior affidato al laico Caloia è molto vantato dalle gerarchie vaticane all'esterno quanto ostacolato all'interno, soprattutto nei primi anni. Come confida lo stesso Caloia al suo diarista, il giornalista cattolico Giancarlo Galli, autore di un libro fondamentale ma stranamente passato sotto silenzio, *Finanza bianca* (Mondadori, 2003). "Il vero dominus dello Ior," scrive Galli, "rimaneva monsignor Donato De Bonis, in rapporti con tutta la Roma che contava, politica e mondana. Francesco Cossiga lo chiamava Donatino, Giulio Andreotti lo teneva in massima considerazione. E poi aristocratici, finanzieri, artisti come Sophia Loren. Questo spiegherebbe perché fra i conti si trovassero anche quelli di personaggi che poi dovevano confrontarsi con la giustizia. Bastava un cenno del monsignore per aprire un conto segreto." A volte, monsignor De Bonis accompagnava di persona i correntisti con i contanti o l'oro nel caveau, attraverso una scala, in cima alla torre. Il caveau dello Ior non è infatti nei sotterranei, come in molte banche, ma in alto, "più vicino al cielo".

I contrasti fra il presidente Caloia e De Bonis, in teoria sottoposto, saranno frequenti e duri. Commenta Giancarlo Galli: "Un'aurea legge manageriale vuole che, in caso di conflitto fra un superiore e un inferiore, sia quest'ultimo a soccombere. Ma essendo lo Ior istituzione particolarissima, quando un laico entra in rotta di collisione con una tonaca non è più questione di gradi". La glasnost finanziaria di Caloia procede in ogni caso a ritmi serrati, ma non impedisce che l'ombra dello Ior venga evocata in quasi tutti gli scandali degli ultimi vent'anni. Da Tangentopoli alle stragi del '93, alla scalata dei "furbetti" e perfino a Calciopoli. Ma, come appare, così l'ombra si dilegua. Nessuno sa, vuole, o può, guardare oltre le mura impenetrabili della banca vaticana.

L'autunno del 1993 è la stagione più crudele di Tangentopoli. Subito dopo i suicidi veri o presunti di Gabriele Cagliari e di Raul Gardini, la mattina del 4 ottobre arriva al presidente dello Ior una telefonata del procuratore capo del pool di Mani pulite, Francesco Saverio Borrelli: "Caro professore, ci sono dei problemi, riguardanti lo Ior, i contatti con Enimont...". Il fatto è che una parte considerevole della "madre di tutte le tangenti" – per la precisione, 108 miliardi di lire in certificati del Tesoro – è transitata dalla banca vaticana. Sul conto di un vecchio cliente, Luigi Bisignani, piduista, giornalista, collaboratore del gruppo Ferruzzi e faccendiere in proprio, in seguito condannato a 3 anni e 4 mesi per lo scandalo Enimont e di recente rispuntato nell'inchiesta Why Not di Luigi De Magistris. Sconvolto dalla telefonata di Borrelli, il presidente Caloia si precipita a consulto in Vaticano da monsignor Renato Dardozzi, fiduciario del segretario di Stato Agostino Casaroli. "Monsignor Dardozzi," racconterà a Galli lo stesso Caloia, "col suo fiorito linguaggio disse che ero nella merda e, per farmelo capire, ordinò una brandina da sistemare in Vaticano. Mi opposi, rispondendogli che avrei continuato ad alloggiare all'Hassler. Tuttavia, accettai il suggerimento di consultare d'urgenza dei luminari di diritto. Una risposta a Borrelli bisognava pur darla!" La risposta sarà di poche ma definitive righe: "Ogni eventuale testimonianza è sottoposta a una richiesta di rogatoria internazionale". I magistrati del pool valutano l'ipotesi della rogatoria. Lo Ior non ha sportelli in terra italiana, non emette assegni e, in quanto "ente centrale della Città del Vaticano", è protetto dagli articoli 11 e 18 del Concordato. Per la verità, la nascita dello Ior (giugno 1942) è successiva al Trattato del Laterano (maggio 1929), ma la natura di "ente centrale" è stata riconosciuta alla banca vaticana da una sentenza della Cassazione nell'aprile 1987. In breve, questo significa che qualsiasi richiesta d'indagine sullo Ior deve partire dal ministero degli Esteri.

Le probabilità di ottenere la rogatoria in queste condizioni sono lo zero virgola, e i magistrati lo sanno. In compenso, l'effetto di una richiesta da parte del pool di Milano sarebbe devastante sull'opinione pubblica. I media di proprietà degli editori inquisiti non aspettano occasione migliore per dipingere i magistrati di Mani pulite come pazzi fanatici in procinto di spedire un avviso di garanzia anche al papa. Il pool si ritira dunque in buon ordine e finge di accontentarsi della spiegazione ufficiale: "Lo Ior non poteva conoscere la destinazione del danaro".

Il secondo episodio, ancora più cupo, risale alla

metà degli anni novanta, durante il processo per mafia a Marcello Dell'Utri. In videoconferenza dagli Stati Uniti, il pentito Francesco Marino Mannoia rivela che "Licio Gelli investiva i danari dei corleonesi di Totò Riina nella banca del Vaticano. [...] Lo Ior garantiva ai corleonesi investimenti e discrezione". Fin qui Mannoia fornisce informazioni di prima mano. Da capo delle raffinerie di eroina di tutta la Sicilia occidentale, principale fonte di profitto delle cosche, non può non sapere dove vengono custoditi i capitali mafiosi. Quindi va oltre, con un'ipotesi: "Quando il papa [Giovanni Paolo II, *N.d.A.*] venne in Sicilia e scomunicò i mafiosi, i boss si risentirono soprattutto perché portavano i loro soldi in Vaticano. Da qui nacque la decisione di far esplodere due bombe davanti a due chiese di Roma".

Chi conosce un poco la mentalità mafiosa e la schizofrenia morale dei boss può cogliere il senso della paradossale indignazione. In tutti i covi di grandi latitanti, da Totò Riina a Salvatore Lo Piccolo, sono stati trovati santuari privati. I famosi "pizzini" di Bernardo Provenzano, come quelli di altri capi dei capi, sono percorsi da una sorta di mania religiosa. I pezzi da novanta della 'ndrangheta calabrese al Nord rompono ogni anno le rigidissime regole di sicurezza soltanto per festeggiare solennemente la Pasqua con le famiglie, fra orazioni e interminabili banchetti, nelle cascine dell'hinterland milanese. Dagli amici degli amici siciliani, il capo della banda della Magliana, Renatino De Pedis, colpevole di cento omicidi, aveva appreso il "rispetto di Dio" e la consuetudine alle donazioni agli enti ecclesiastici, che gli hanno procurato in morte la sepoltura in terra vaticana, nella cripta della chiesa di Sant'Apollinare, accanto a vescovi e papi.

In molte chiese del Sud, per esempio il duomo di Siculiana (capitale storica della mafia agrigentina, la più antica), figurano incisi i nomi di noti assassini del gotha mafioso italoamericano, come i Caruana e i Gambino, in qualità di benefattori. In questo mondo, la scomunica di papa Wojtyla, dopo le stragi di Capaci e via D'Amelio, aveva davvero sconvolto i boss, abituati da un secolo a non sentire mai neppure nominare la parola "mafia" nelle omelie dei vescovi. Se non per sostenere che non esisteva.

Mannoia, in ogni caso, non è uno qualsiasi. È, secondo Giovanni Falcone, "il più attendibile dei collaboratori di giustizia", per alcuni versi più prezioso dello stesso Buscetta. Ogni sua affermazione ha trovato riscontri oggettivi. Soltanto su una non si è proceduto ad accertare i fatti, quella sullo Ior. I magistrati del caso Dell'Utri non indagano sulla pista Ior perché non riguarda direttamente Dell'Utri e il gruppo Berlusconi, ma passano le carte ai colleghi del processo Andreotti. Roberto Scarpinato e i colleghi del pool sono a conoscenza del precedente di Borrelli e non firmano la richiesta di rogatoria. Al palazzo di giustizia di Palermo, qualcuno in alto osserva: "Non ci siamo fatti abbastanza nemici per metterci contro anche il Vaticano?".

Sulle trame dello Ior cala un altro sipario di dieci anni, fino alla scalata dei "furbetti del quartierino". Il 10 luglio 2007 il capo dei "furbetti", Giampiero Fiorani, racconta in carcere ai magistrati: "Alla Bsi svizzera ci sono tre conti della Santa Sede che saranno, non esagero, due o tre miliardi di euro". Al pm milanese Francesco Greco, Fiorani fa l'elenco dei versamenti in nero fatti alle casse vaticane: "I primi soldi neri li ho dati al cardinale Castillo Lara [presidente dell'APSA, l'amministrazione del patrimonio immobiliare della Chiesa, *N.d.A.*], quando ho comprato la Cassa Lombarda. Mi ha chiesto trenta miliardi di lire, possibilmente su un conto estero". Altri seguiranno. Molti, a giudicare dalle lamentele dello stesso Fiorani nell'incontro con il cardinale Giovanni Battista Re, potente prefetto della congregazione dei vescovi e braccio destro di Ruini: "Uno che vi ha sempre dato i soldi, come io ve li ho sempre dati in contanti, e andava tutto bene, ma poi quando è in disgrazia non fate neanche una telefonata a sua moglie per sapere se sta bene o male". Il Vaticano molla presto Fiorani, ma in compenso difende Antonio Fazio fino al giorno prima delle dimissioni, quando ormai lo hanno abbandonato tutti. "Avvenire" e "L'Osservatore Romano" ripetono fino all'ultimo giorno di Fazio in Bankitalia la teoria del "complotto politico" contro il governatore. Del resto, la carriera di questo strano banchiere che alle riunioni dei governatori centrali non ha mai citato una volta Keynes ma almeno un centinaio di volte le encicliche si spiega in buona parte con l'appoggio vaticano. Proprio nella persona di Camillo Ruini, presidente della Cei, e poi di Giovanni Battista Re, amico intimo di Fazio, tanto da aver celebrato nel 2003 la messa per il venticinquesimo anniversario di matrimonio dell'ex governatore con Maria Cristina Rosati.

In generale, è difficile trovare nella storia finanziaria italiana più recente un solo bancarottiere che non fosse in eccellenti rapporti con le gerarchie vaticane, devoto frequentatore di chiese e generoso donatore. Stimatissimi in Vaticano, prima dei tracolli di Cirio e Parmalat e perfino un po' dopo, erano Sergio Cragnotti e Callisto Tanzi. Quando a Parma un prete battagliero, don Luigi Scaccaglia, lancia la provocazione: "Tanzi ha dato i soldi per i restauri del Duomo?

La Chiesa deve trovare il modo per restituirli!", la stampa cattolica ha censurato l'uscita e in San Pietro hanno lasciato cadere la proposta.

Naturalmente, neppure i racconti di Fiorani aprono lo scrigno dei segreti dello Ior e dell'APSA, i cui rapporti con le banche svizzere e i paradisi fiscali in giro per il mondo sono quanto meno singolari. È difficile, per esempio, spiegare con esigenze pastorali la decisione del Vaticano di scorporare le Isole Cayman dalla naturale diocesi giamaicana di Kingston, per proclamarle *missio sui iuris* alle dirette dipendenze della Santa Sede e affidarle al cardinale Adam Joseph Maida, membro del collegio dello Ior.

Il quarto e ultimo episodio di coinvolgimento dello Ior negli scandali italiani è quasi comico rispetto ai precedenti e riguarda Calciopoli. Secondo i magistrati romani Palamara e Palaia, i fondi neri della Gea, la società di mediazione presieduta dal figlio di Moggi, sarebbero custoditi nella banca vaticana. Attraverso i buoni uffici di un altro dei banchieri di fiducia della Santa Sede, Cesare Geronzi, coinvolto in numerose vicende penali – con una condanna in primo grado per bancarotta – e padre dell'azionista di maggioranza della Gea. Nel caveau dello Ior sarebbe custodito anche il "tesoretto" personale di Luciano Moggi. Al solito, rogatorie e verifiche sono impossibili. Ma è certo che Moggi gode di grande considerazione in Vaticano. Sempre difeso dalla stampa cattolica, accolto nei pellegrinaggi a Lourdes dalla corte di Ruini, all'inizio del 2008 Moggi è diventato titolare di una rubrica di "etica e sport" su "Petrus", il quotidiano on line vicino a papa Benedetto XVI, da dove l'ex dirigente juventino rinviato a giudizio ha subito cominciato a scagliare le prime pietre contro la corruzione (altrui).

I segreti dello Ior rimarranno custoditi forse per sempre nella torre-scrigno. L'epoca Marcinkus è archiviata, ma l'opacità che circonda la banca della Santa Sede è ben lontana dallo sciogliersi in acque trasparenti. Si sa soltanto che le casse e il caveau dello Ior non sono mai stati tanto pingui e che i depositi continuano ad affluire, incoraggiati da interessi del 12 per cento annuo e perfino superiori. Fornire cifre precise è, come ho spiegato, impossibile. Le poche accertate sono queste. Con oltre 407 mila dollari di prodotto interno lordo pro capite, la Città del Vaticano è di gran lunga "lo Stato più ricco del mondo", come si leggeva in una bella inchiesta di Marina Marinetti su "Panorama Economy". Secondo le stime della Fed del 2002, frutto dell'unica inchiesta di un'autorità internazionale sulla finanza vaticana e riferita soltanto agli interessi su suolo americano, la Chiesa cattolica possedeva negli Stati Uniti 298 milioni di dollari in titoli, 195 milioni in azioni, 102 in obbligazioni a lungo termine, più joint venture con partner Usa per 273 milioni. Nessuna autorità italiana ha mai avviato un'inchiesta per stabilire il peso economico del Vaticano nel paese che lo ospita.

Negli ultimi decenni, il mondo cattolico ha espugnato la roccaforte tradizionale delle minoranze laiche e liberali italiane, la finanza. È stata una lunga, graduale marcia dall'Unità d'Italia a oggi, con un'accelerazione impetuosa nell'ultimo quarto di secolo. Il sistema bancario italiano nasce all'insegna di un forte impianto culturale laico e con una presenza significativa di componenti ebraiche assai osteggiate dal Vaticano, che aveva inventato la formula poi copiata da Mussolini del "complotto demo-pluto-giudaico". Per sostenere l'industrializzazione con una base finanziaria solida, Giovanni Giolitti chiamò due banchieri mitteleuropei di origine israelita, Otto Joel e Federico Weil, a fondare la Banca commerciale italiana. Alla vigilia della Prima guerra mondiale, i due cedono il comando della Comit al nipote Joseph Toeplitz, il quale, scrive Giancarlo Galli "ha l'accortezza di convertirsi al cattolicesimo" e rimane fino alla crisi del '29. Dopo la firma del Trattato del Laterano, viene sostituito da Raffaele Mattioli, liberale crociano, che rimarrà quarant'anni, conservando un certo grado di indipendenza dal regime e poi nel passaggio alla democrazia. La Comit di Mattioli, dove lavoravano antifascisti come Ugo La Malfa e Adolfo Tino, fu uno dei grandi centri di resistenza alle leggi razziali. Centinaia di ebrei furono protetti, nascosti, trasferiti alle filiali estere e così salvati dalle deportazioni. Naturalmente, su questi fatti non è mai stata prodotta una fiction televisiva.

Nel dopoguerra si inaugura la lunga stagione di Enrico Cuccia, ex tesoriere del Partito d'Azione, uomo di fede ma decisamente anticlericale, che regna su Mediobanca e sulle sorti del capitalismo italiano fino al 2000. Nel mezzo secolo di potere democristiano, il sistema bancario rimane un'oasi laica in un'Italia dove il Vaticano detta legge ovunque, dall'industria di Stato alla Rai dell'integralista Ettore Bernabei. I tentativi di scalata cattolica al potere bancario, affidati prima a Eugenio Cefis e poi a Sindona e Calvi, finiscono in tragiche avventure. Ma paradossalmente, proprio alla vigilia del crollo Dc e soprattutto dopo l'estinzione del grande partito confessionale, si apre la grande stagione della "finanza bianca". Alla base come al vertice, nelle piccole banche periferiche come nei grandi gruppi, nelle fondazioni bancarie che ormai sono

116

essenziali per il controllo del consenso sul territorio, arriva al potere un esercito di cattolici. La definizione è certo quanto mai ecumenica, comprende personaggi di natura assai diversa: da un lato, l'ex governatore Antonio Fazio e i suoi amici "furbetti", o il potente e intramontabile Cesare Geronzi; dall'altro, un galantuomo come Giovanni Bazoli, presidente di Banca Intesa, il gigante che ha inglobato la vecchia Comit. Ma il legame culturale che tiene assieme tutti è l'essere cattolici e in stretto rapporto con le gerarchie ecclesiastiche.

"Chiesa povera, Chiesa serva. Chiesa ricca, Chiesa padrona," ammoniva Alexis de Tocqueville. Nell'era di Camillo Ruini, il suo motto è stato tradotto in pratica. La Chiesa non è mai stata tanto ricca e tanto padrona della vita pubblica italiana, neppure ai tempi della Dc. Ma rimane la questione: con i soldi di chi?

7.

Roma, città del Vaticano

Abito nel quartiere romano di Monteverde, vicino al Gianicolo, e per andare in centro o in parlamento – quando mi tocca –, prendo spesso la bicicletta. Sono quattro chilometri, in discesa è un quarto d'ora al massimo. Pedalo su via Poerio, scendo verso Trastevere, attraverso il Ponte Garibaldi; poi, dall'altra parte del Tevere, percorro via Arenula, via di Santa Chiara, via della Minerva, via degli Orfani e sono già a Montecitorio. Un giorno mi è venuto in mente di fare il censimento di tutti gli edifici di enti ecclesiastici che incontravo per strada.

Parto da via Poerio, dove c'è uno degli angoli più magici e segreti di Roma: un convento di suore gigantesco, formato da due palazzi in mattoni rossi e un ampio giardino di rose, palme e oleandri che si apre su una veduta più bella di quella dal Gianicolo. Un giorno lo venderanno, dicono nel quartiere, e vi faranno l'albergo più lussuoso della capitale, da far impallidire l'Hassler. I due palazzi ospitano rispettivamente la Casa Generalizia della società di Maria Padri Maristi e la Congregazione della dottrina cristiana di Nancy. Al catasto sono calcolati in 26.655 metri cubi, per un valore catastale di 4 milioni 130 mila euro; valore di mercato presunto: 20 milioni 650 mila euro, a essere molto prudenti. Il convento si trova fra la casa di cura Sacro Cuore e la clinica Salvator Mundi, ma ho deciso di non prendere in considerazione chiese e ospedali.

Subito dopo, in via Bandiera, incontro l'Istituto delle Orsoline del SS. Crocifisso e la Procura Generalizia delle Suore Francescane della Croce del Libano: 4 mila metri cubi, valore di 6 milioni di euro. In via Saffi sfilano la Congrega delle suore francescane missionarie del Sacro Cuore e la Casa di Procura Generalizia dell'istituto Fratelli della Sacra Famiglia: 10 mila metri cubi, 10 milioni di euro. A piazza Sonnino, in Trastevere, l'imponente Collegio di San Crisogono: 20 mila metri cubi, 18 milioni 300 mila euro.

Superato il Ponte Garibaldi, sull'altra sponda, fra via Santa Chiara e via Minerva incrocio il Pontificio seminario francese e la Pontificia accademia ecclesiastica: 94 mila metri cubi, 78 milioni 450 mila euro. Lungo via di Torre Argentina calcolo l'Arciconfraternita dei Norcini in Roma, la Casa generalizia delle suore benedettine e l'Istituto pie operaie: 12 mila metri cubi, 9 milioni di euro. Ed eccomi a Montecitorio.

In un quarto d'ora di un percorso qualsiasi, ho toccato proprietà ecclesiastiche per 160 mila metri cubi e un valore di 150 milioni di euro.

Ripeto, non ho calcolato le cliniche private cattoliche, né le chiese, i cinema o i negozi. La mia "talpa" all'erario romano mi aveva sconsigliato questo percorso: "Qui la Chiesa ha poca roba. Perché non passi per le mura vaticane? Farebbe molto più colpo". Ma se l'avessi fatto, se fossi sceso verso via della Conciliazione, non mi sarebbe bastato il capitolo e forse nemmeno un libro, per fare l'elenco: laggiù, *tutto* è di proprietà ecclesiastica. Come in altri quartieri di Roma. In via Nomentana, soltanto due istituti di suore – i conventi delle Orsoline e di Santa Maria Riparatrice – occupano due palazzi di rispettivamente tre e sei piani, circa 80 mila metri quadri. Fra via Sistina e via Condotti, le strade più chic della capitale, si trovano almeno una ventina di splendidi palazzi barocchi di confraternite. L'Isola Tiberina appartiene per intero all'ordine ospedaliero di San Giovanni di Dio, mentre l'Aurelia Antica – altro piccolo paradiso in Terra –, è per lunghi tratti una sequela di residence, convitti, confraternite. L'inchiesta de "Il Mondo" elenca: "Quattrocento istituti di suore, 300 parrocchie, 250 scuole cattoliche, 200 chiese non parrocchiali, 90 istituti religiosi, 65 case di cura, 50 missioni, 43 collegi, 30 monasteri, 20 case di riposo e altrettanti seminari, 18 ospedali, 16 conventi, 13 oratori, 10 confraternite, 6 ospizi. Sono quasi 2 mila gli enti religiosi residenti nella capitale e risultano proprietari di circa 20 mila terreni e fabbricati". E conclude: "A spanne, un quarto di Roma è della Chiesa".

A Roma, è difficile separare cosa appartiene alla Chiesa e cosa no. Nelle città che hanno vissuto l'avventura d'essere doppie capitali, come la Berlino del dopoguerra, a un certo punto si sbatte contro un muro. Ora l'hanno costruito a Gerusalemme, che non è neppure capitale dello stato d'Israele, ma città sacra delle tre religioni monoteistiche: ebraismo, cristianesimo e Islam. A Roma, le mura leonine sono un simbolo potente, ma non segnano un confine reale. La città è immensa, può contenere le altre otto più grandi città italiane ed è disseminata al centro e alla periferia da un'infinità di enclave vaticane: sono suolo vaticano ospedali, chiese, scuole, cripte, conventi, cimiteri, terreni, parchi.

Quanta "roba" ha, dunque, la Chiesa a Roma? È inutile chiedere in Comune: non è mai stato fatto un censimento. È inutile chiedere in Vaticano, perché non sono tenuti a rispondere. E poi, forse non lo sanno davvero nemmeno loro. Capita a volte di prendere in castagna la stampa cattolica, questo o quel vescovo che negano l'evidenza: così almeno appare allo sguardo laico. Ma alla lunga ci si convince che molti siano in buona fede. Uno che se ne intende, Giulio Andreotti, racconta in *A ogni morte di papa* di quando, giovanissimo sottosegretario alla presidenza del Consiglio di De Gasperi, fu convocato per la prima volta a rapporto dal papa in persona. Nel 1950 era ancora Pio XII, che gli fece una ramanzina per una foto "scollacciata" comparsa su una pubblicazione cattolica. Andreotti, che fin da giovane sul patrimonio della Chiesa ne ha sempre saputo più dei papi e dei vescovi, rispose pronto: "Santità, ma perché se la prende con me? Quella rivista non è del partito, è roba vostra".

In mancanza di dati certificati, la "roba della Chiesa" diventa un'entità metafisica, circondata di leggende. Come ho avuto modo di constatare, non è la scarsa verosimiglianza a distinguerle dalla verità. Sembrava una leggenda metropolitana, la sepoltura in terra vaticana del capo della banda della Magliana, rivelata da una telefonata anonima a *Chi l'ha visto?*, e invece era pura realtà. Per fare un esempio cinematografico, *Il padrino III* di Francis Ford Coppola, in parte girato nella capitale, è sempre parso ai critici poco credibile e piuttosto grossolano nell'intreccio, una specie di polpettone anticlericale imperniato sugli affari immobiliari della Chiesa. In effetti, il film non è un capolavoro come i precedenti. Ma la sceneggiatura è frutto di un serio lavoro di documentazione condotto da Coppola e dagli sceneggiatori sull'alleanza fra gerarchie ecclesiastiche e palazzinari nell'Immobiliare romana, negli anni settanta. È, insomma, il capitolo meno inventato della saga dei Corleone. Al contrario, si sono rivelate esagerate – a una verifica diretta – notizie accreditate come indiscutibili. Il massimo dei privilegi, per i romani, è ottenere la carta d'accesso alla farmacia e allo spaccio vaticani, di cui si favoleggia come dei più forniti al mondo. Ho visitato l'una e l'altro. La farmacia ha indubbiamente un ottimo assortimento, con un lungo elenco di medicine introvabili nel resto d'Italia o vendute a prezzi decisamente inferiori; ma è ridicolo pensare che vi si trovino chissà quali elisir sconosciuti al resto del mondo. Lo spaccio, o "supermercato", del Vaticano è in verità piuttosto deludente, in confronto ai centri commerciali. Anche questo è fornitissimo, anzi, straborda di merci: il Vaticano importa a prezzi stracciati quantità enormi di viveri e li rivende qui. Non si spiegano di sicuro con il consumo interno dei 921 abitanti – neanche fossero tutti Pantagruel – le importazioni annue (dati 2005) di 1000 tonnellate di carne; 200 tonnellate di pasta; 174 di latte; 27 di prosciutto e 15 di salumi vari; 700 di liquori, 240 di birra, 50 di vino, 48 di spumante e 3 di champagne; 110 di tabacco; 17 di cosmetici e 14 di profumi; oltre, naturalmente, a 70 tonnellate di medicinali. Ma l'aspetto del leggendario spaccio è grigiastro, quasi tetro, con le luci basse, gli scatoloni accatastati: sembra un discount, o uno di quegli spacci comunisti dei paesi dell'Est, sia pure miracolato da una quantità colossale di merci.

I salotti romani pullulano di faccendieri che esibiscono, o più spesso millantano, "agganci in Vaticano" (e magari con l'Opus Dei, che ha la sede mondiale nel quartiere Parioli), in grado di risolvere qualsiasi problema, raccomandare chiunque per qualunque poltrona, ottenere illimitato credito bancario, realizzare qualsivoglia progetto, film, fiction televisiva, vincere il festival di Sanremo e così via. Quando il centrodestra cercò di incastrare Romano Prodi nel presunto scandalo Telecom Serbia, poi naufragato nel nulla, si affidò a uno di questi, il sedicente conte Igor Marini, con vari precedenti per truffa. Uomo di fantasia illimitata, dove Marini "supera se stesso" – come ha scritto Filippo Ceccarelli – "è nell'ambito vaticano, giacché il riciclaggio di parte delle tangenti sarebbe avvenuto attraverso alcuni promissory notes appartenenti ad enti ecclesiastici approdati all'Istituto Opere di Religione (Ior). In questo caso Marini arriva a inventarsi di sana pianta dei personaggi, il cavalier Guglielmo Palermini, funzionario appunto dello Ior, e un certo padre Astolfo, che sarebbe uno dei segretari del cardinal Martini. A questi personaggi inesistenti egli non solo dà vita, ma li fa anche interagire tra loro, collocandoli per giunta in sedi che hanno indirizzi (per esempio via dell'Angelo Apostolico) anch'essi inesistenti. Con padre Astolfo Igor sostiene di aver lavorato a lungo, sempre sulle tangenti, al computer, in una sala insonorizzata nei pressi dell'hotel Columbus, non lontano dalla basilica di San Pietro. I giudici hanno poi chiarito che anche questa sala non esiste proprio: lì c'è da anni un cinema". Eppure, alla commissione parlamentare e a buona parte dell'opinione pubblica, che per mesi pendono dalle labbra del Marini, proprio questi appaiono i passaggi più verosimili della testimonianza.

Ovunque passi la sottile, invisibile linea che separa la realtà dalla fantasia, un dato è certo. In nessun altro luogo del mondo come a Roma si capisce l'espressione "Chiesa padrona". Padrona del reale e dell'immaginario collettivo, ma soprattutto di casa. Quindi, la mattina del 10 gennaio 2008, quando Benedetto XVI ha usato il rituale appuntamento dello scambio di auguri per scagliare un anatema sul "degrado gravissimo della capitale" in faccia al sindaco Walter Veltroni e al governatore del Lazio Piero Marrazzo, sono stato fra i pochi italiani (ma molti romani) a scandalizzarsi. Era come se un imperatore avesse convocato i vassalli per rimproverarli del cattivo regno. E quelli giustamente, da vassalli, non hanno replicato, sperando in una benevola correzione. Giunta infatti il giorno dopo.

Joseph Ratzinger è uno dei massimi esperti viventi di dispute teologiche, che Borges definiva "un ramo della letteratura fantastica". E tuttavia, l'abilità nel rovesciamento di ruoli e rapporti di forza lascia perplessi. Il papa ha invocato da sindaco e governatore una politica della casa che favorisca le giovani coppie con affitti più bassi. L'intento era di polemizzare in favore della famiglia tradizionale contro il progetto di Veltroni di aprire un registro comunale per le coppie di fatto. Ma intanto, non è paradossale che il primo proprietario immobiliare della capitale rimproveri gli enti locali per gli affitti esosi? Che cosa possono fare sindaco e governatore se l'APSA ogni mese sfratta famiglie povere dalle proprietà ecclesiastiche per far posto a più ricchi inquilini? Nulla, se non favorire gli sfratti, come hanno sempre fatto. Come si possono impedire speculazioni se la Chiesa è da sempre in affari con i peggiori palazzinari romani, da quelli del "sacco di Roma" fino ai "furbetti del quartierino"?

Il nuovo re dei palazzinari si chiama Giuseppe Statuto, da Casaluce, agro aversano, ha solo quarant'anni e tutti lo considerano l'erede del potente Francesco Caltagirone, proprietario del "Messaggero" e suocero di Pierferdinando Casini, altro potente alleato del Vaticano nell'affare del mattone. Statuto non porta stivali texani come Danilo Coppola, e non si paragona a Bill Gates come Stefano Ricucci, ma faceva affari con entrambi, e soprattutto con il Vaticano. Nel 2001, era titolare di una piccola società con 79 milioni di euro di ricavi e 1,4 milioni di perdite. Oggi comanda un impero di controllate, con propaggini nei paradisi fiscali, e il suo patrimonio personale è valutato 2 miliardi di euro. Come ha fatto tanta fortuna in pochi anni? Ha comprato, ristrutturato e rivenduto beni ecclesiastici, realizzando plusvalenze da capogiro. Come il convento del XVII secolo sulla Camilluccia, 5 mila metri quadrati e 15 mila di parco, e tante altre proprietà della Chiesa. Per forza poi "il prezzo degli alloggi rende davvero difficili le condizioni di vita delle famiglie", per usare le parole del Santo Padre. Anche qui, che cosa può fare il sindaco? Nulla, se non continuare a regalare alla Chiesa terreni (23 in un colpo solo, nell'ultima delibera della giunta comunale) per costruire altre chiese, e accollarsi gli oneri di urbanizzazione.

Benedetto XVI non si è limitato a rimproverare Veltroni, ma si è rivolto anche al governatore del Lazio, Piero Marrazzo. In sostanza, come hanno scritto molti, ha "battuto cassa" in favore degli ospedali cattolici, definiti "in condizioni disperate". Il retroscena è che il governatore Marrazzo, ereditati gli spaventosi buchi in bilancio lasciati dal predecessore Francesco Storace (assai generoso con la sanità cattolica), aveva deciso di tagliare le onerosissime convenzioni della Regione Lazio con le cliniche private. Per dare un'idea, il solo policlinico Gemelli vanta nei confronti della Regione Lazio un credito di 510,7 milioni di euro, limitato al triennio 2003-2006.

Il terzo attacco di Benedetto XVI al sindaco Veltroni è stato sulla sicurezza dei cittadini, tema particolarmente scottante alla vigilia di una campagna elettorale. A partire da un terrificante fatto di cronaca, l'omicidio a Tor di Quinto di Giovanna Reggiani, il 30 ottobre 2007, per il quale è accusato un romeno di 24 anni, Romulus Nicolae Mailat. La donna, 47 anni, è stata aggredita alla fermata dell'autobus, portata in una baracca, massacrata e abbandonata in fin di vita in una discarica. A questo delitto il papa si è ispirato per dipingere un quadro della capitale a tinte foschissime, una specie di Bronx o di sterminata favela sudamericana. Ora, pur nell'orrore per la vicenda, il fatto stesso che l'omicidio di Giovanna Reggiani abbia occupato per due mesi e mezzo le prime pagine dei quotidiani è la prova che Roma non è una metropoli violenta. A Londra o Parigi sarebbe finito in una "breve" di cronaca dal giorno dopo. Nelle classifiche europee, Roma è la capitale più sicura, dopo Lisbona.

Il messaggio dell'imperatore comunque è arrivato. La Regione Lazio ha subito bloccato la revisione delle convenzioni con la sanità privata (leggi: cattolica); il governo ha inserito clausole vantaggiose per le stesse nel cosiddetto "decreto mille proroghe", un programma fin dal nome.

Certo, Comune di Roma e Regione Lazio potrebbero destinare più fondi all'assistenza ai poveri e alla lotta al "degrado gravissimo" se non dovessero pagare ogni giorno un obolo a San Pietro. L'elenco delle regalie non ha fine e quindi mi limito a qualche caso "curioso". La vicenda dell'acqua gratis al Vaticano, per esempio. A partire dal 1929, con la firma dei Patti Lateranensi, lo Stato italiano si fa carico della dotazione di acqua per la Città del Vaticano, in virtù dell'articolo 6, primo comma: "L'Italia provvederà, a mezzo degli accordi occorrenti con gli enti interessati, che alla Città del Vaticano sia assicurata un'adeguata dotazione d'acqua in proprietà". Lo Stato si fa carico da allora dei 5 milioni di metri cubi d'acqua consumati in media dallo Stato Pontificio. Per le acque reflue, cioè di scarico, si allaccia all'ACEA ma non paga le bollette, perché non riconosce le tasse imposte da enti appartenenti a "stati terzi". Insomma, quella bolletta è "straniera".

Nel 1999, l'ACEA viene quotata in borsa e gli azionisti chiedono la liquidazione del debito vaticano: senza ottenerla. Tocca allo Stato ripianare l'arretrato di 44 miliardi di lire, con la solita clausola nella finanziaria. Da quel momento, si dà per inteso che spetterà alla Chiesa pagare la spesa annua di 4 miliardi di lire. Arriva un altro rifiuto e nel 2001 il governo Berlusconi istituisce una commissione bilaterale per dirimere la questione dell'acqua. Alla fine, l'accordo trovato da Silvio Berlusconi e dal cardinal Angelo Sodano, segretario di Stato vaticano, in fondo a un ossequioso (da una parte) carteggio, è che sia ancora lo Stato italiano a pagare la seconda bolletta di 25 milioni di euro, inserita nella finanziaria del 2005. In meno di un decennio, il regalo ammonta a 52 milioni di euro che, se destinati alla città di Roma, avrebbero dato un buon impulso alle politiche sociali.

Un altro caso, minimo: lo sconto sulla ZTL. Il 29 luglio 2006, la giunta di Roma si riunisce per fissare il prezzo dei permessi automobilistici per il centro. Il costo del permesso annuo è fissato in 550 euro per tutte le ex categorie privilegiate, compresi onorevoli, giornalisti, commercianti, dipendenti di ministeri e di partiti, sindacati, ordini professionali, rappresentanti, artigiani ecc. Una categoria protesta con più veemenza delle altre: il Vaticano. Il segretario generale del Governatorato del Vaticano scrive al Comune che l'accordo "non rispetta i Patti Lateranensi": una formula magica. L'assessorato alla Mobilità chiede allora lumi al segretario comunale, il quale, per farla breve, risponde com'è ovvio che il Patto del '29 non c'entra nulla con i pass per il centro. Nonostante questo, il 30 novembre 2006 la giunta romana torna a riunirsi con all'ordine del giorno un unico punto: la riduzione del prezzo dei permessi al Vaticano da 550 a 55 euro. La stessa quota pagata soltanto dai residenti di primo grado e dai medici di pronto intervento. Il voto è quasi unanime. Il parco auto del Vaticano, di tutto rispetto per quantità e cilindrate, comprende duecento vetture. L'omaggio è di 100 mila euro all'anno. Un piccolo presente, ma rivelatore di un sistema.

Chi arriva a Roma da altre città, soprattutto se del Nord, fatica a capire il misto di cinismo, rassegnazione e ironia con il quale il popolo romano considera la sfarzosa, padronale presenza della Chiesa. Con il tempo si comprende che l'atteggiamento è figlio di una superiore concezione della Storia, quella con la maiuscola. Roma ha dato vita alle due sole istituzioni universali nella storia dell'umanità: l'Impero (romano) e la Chiesa (cattolica). In fondo, per i romani è soltanto la seconda volta. La città è convinta di poter sopravvivere un giorno anche alla fine della Chiesa e nel frattempo continua a coltivare i suoi costumi pagani, precristiani, eterni. Si è sempre protetta e conservata così da ogni potere, che per i romani si identifica con l'inganno. Tutto il potere materiale di cui per secoli ha goduto, e ancora oggi gode, la Chiesa ha come origine un documento falso, la famosa Donazione dell'imperatore Costantino a papa Silvestro I, nel 324. Lo scritto è una manipolazione dell'VIII secolo e a dimostrarlo con prova scientifica è stato un grande romano, Lorenzo Valla, nel 1440. Ma non è servito a nulla.

8.
La carità

Il grande obolo di Stato alla Chiesa cattolica ha anche un volto e uno scopo nobili: la carità. Le fonti della Chiesa parlano di mezzo miliardo di euro speso dal Vaticano e dalle conferenze episcopali per opere di assistenza in tutto il mondo. La quota più consistente arriva dalla Cei, la Conferenza episcopale italiana, che destina il 20 per cento del miliardo ricevuto con l'otto per mille – oltre 200 milioni di euro – in assistenza e carità: 115 milioni in Italia e i restanti 85 nelle missioni all'estero (dati 2006). Ma il flusso di carità della Chiesa avviene anche attraverso altri canali, come la Caritas internazionale, il fondo papale della Cor Unum, le associazioni di volontariato e perfino la banca vaticana – lo Ior – e la prelatura dell'Opus Dei, più note per attività meno benigne.

Si può discutere se si tratti di tanto o poco, rispetto al costo complessivo della Chiesa per gli italiani. Si potrebbe forse fare di più, come sostengono molte voci cattoliche. Alex Zanotelli, padre comboniano da sempre in prima linea nella lotta per alleviare le sofferenze dei dannati della Terra, era sbalordito nell'apprendere che soltanto il 7-8 per cento della raccolta dell'otto per mille è destinato dalla Cei alla carità internazionale: "Siete sicuri, avete controllato i dati? Se fosse così, sarebbe grave". I dati sono forniti dalla Cei. Per giunta, non è facile stabilire quanta parte della cifra finisca in aiuti concreti – ospedali, emergenza, cibo e medicine – e quanta sia invece usata per l'indottrinamento cattolico. I bilanci della Chiesa sono in linea con la scarsa trasparenza dell'intero settore degli aiuti ai "paesi in via di sviluppo", come li si chiamava un tempo, quando allo sviluppo si credeva ancora. Quote consistenti, a volte preponderanti, sono iscritte a bilancio sotto voci generiche del tipo "attività formative". Nella tradizione della teoria cattolica, in nessun caso l'attività umanitaria è scissa dalla propaganda della fede, dall'evangelizzazione dei popoli. Anzi, la tendenza degli ultimi due papi – testimoniata da due encicliche di tema sociale, la *Sollicitudo rei socialis* di Giovanni Paolo II (1987) e la recente *Deus caritas est* di Benedetto XVI – è di considerare la prima esigenza decisamente subordinata alla seconda.

Tutto questo non toglie che nell'esperienza di ciascuno di noi, almeno in alcune realtà italiane e dei paesi poveri, parrocchie e missioni cattoliche appaiano le sole istituzioni rimaste a presidiare i confini più disperati della società: gli stessi dai quali lo Stato sociale si ritira ogni giorno. All'origine dei molti regali e favori fiscali concessi alla Chiesa, soprattutto negli ultimi vent'anni – dopo la revisione del Concordato –, non ci sono soltanto il frenetico lobbismo dei vescovi e la rincorsa di tutti i partiti al pacchetto di voti cattolici: esiste un tacito patto per cui, mentre lo Stato smantella pezzo per pezzo il welfare, la Chiesa si incarica del "lavoro sporco", di tappare le falle più grosse e arginare la massa crescente di esclusi senza più diritti, garanzie, protezione.

Basta girare le città italiane per vedere quanto sia estesa la rete di supplenza. Le parrocchie sono diventate in molti casi i principali centri di accoglienza per gli immigrati, uffici di collocamento per stranieri ed ex carcerati, consultori per le famiglie che hanno in casa un nonno con l'Alzheimer, un figlio tossico, un parente con problemi di salute mentale. I centri Caritas della capitale sono gli unici punti di riferimento e di ricovero del "popolo della strada": senzatetto, mendicanti, alcolisti abbandonati dallo Stato e dalle famiglie. Svolgono un ruolo prezioso di raccolta dati per segnalare le nuove emergenze, come la povertà giovanile italiana. L'incapacità dei governi di elaborare una seria politica dell'immigrazione, oltre le sparate populiste, ha delegato nella pratica ai preti la questione sociale più importante degli ultimi vent'anni.

A Milano, personaggi come don Colmegna svolgono di fatto il ruolo di "sindaci ombra" nelle periferie ormai popolate in larga maggioranza da immigrati. E non sono soltanto le politiche sociali a mancare. La comunità di Sant'Egidio a Roma è diventata un punto di riferimento internazionale per le politiche nei confronti dell'Africa e del Sudamerica, più consultata persino della Farnesina. La stessa iniziativa della moratoria contro la pena di morte, l'unico momento in cui la politica estera italiana abbia ricevuto attenzione oltre i confini nazionali, è partita dalla comunità con sede in Trastevere; ormai è una tappa d'obbligo nelle visite di capi di Stato stranieri. Nel 1998, in piena crisi del Darfour, il segretario di Stato Madeleine Albright visitò "l'Onu di Trastevere" per ricevere sostegno nell'opera di mediazione fra fazioni e governo di Khartoum. Nel giugno 2007, a Sant'Egidio, con l'intero quartiere blindato, è arrivato il presidente

George W. Bush a discutere un progetto per combattere la diffusione dell'Aids in Africa.

È vero purtroppo che, nella più spaventosa crisi africana – i massacri del Ruanda nel 1994 –, le numerose missioni cattoliche nel paese rimasero sostanzialmente inerti.

La moderna dottrina sociale della Chiesa e il laico welfare sono quasi contemporanei: nascono entrambi alla fine dell'Ottocento come risposta agli effetti devastanti della Rivoluzione industriale e all'avanzata del socialismo fra le masse proletarie. Dalla prima enciclica di tema sociale, la *Rerum novarum* di Leone XIII (1891), per oltre un secolo la Chiesa ha elaborato una cruciale riflessione sulla povertà e sulle guerre nell'universo capitalistico, fino alle due encicliche che hanno riassunto i princìpi del Concilio Vaticano II convocato a Roma dal 1962 al 1965: la *Pacem in terris* di Giovanni XXIII (1965) e la *Populorum progressio* di Paolo VI. La seconda è per la verità successiva di due anni alla fine dei lavori conciliari, ma ne rappresenta la sintesi più alta e significativa. In alcuni passaggi, è un grido di denuncia contro l'ingiustizia sociale nei paesi ricchi e la divisione fra Nord e Sud del pianeta. Al punto da essere stata accolta dai tradizionalisti come un cedimento dell'intellettuale Montini alla "teologia della liberazione" dei vescovi sudamericani. Giovanni Paolo II e, ancor più, dai primi passi, Benedetto XVI, hanno notevolmente corretto il tiro rispetto al loro predecessore, ma senza scuotere le fondamenta della costruzione. Paolo VI infatti non si era limitato a predicare bene, nel 1971 aveva creato le due colonne portanti dell'intervento sociale di Oltretevere in Italia e nel mondo: la Caritas, poi divisa in sezione italiana e Caritas Internationalis, presente in duecento nazioni;

e la Cor Unum, consiglio pontificio che ha compiti di indirizzo pratico e teorico, oltre a gestire la carità diretta del papa.

Il breve excursus storico non serve a lanciare un dibattito teologico, per il quale non sono attrezzato, ma soltanto a far capire che quando la Chiesa e i preti cattolici si occupano d'intervento sociale sanno di cosa si tratta. A differenza di molti governi e dipendenti statali, che non l'hanno mai saputo o non lo sanno più. Nell'infuriare della sbornia liberista degli anni novanta, che ha delegittimato ovunque lo Stato sociale e contribuito ad allargare a dismisura il divario fra ricchi e poveri, la Chiesa ha sempre mantenuto ferma la rotta della solidarietà, pur con qualche variazione di grado. Il risultato è che ormai l'organizzazione cattolica detiene quasi l'esclusiva sui problemi del Terzo mondo, anche quello di casa nostra.

Una chiave dell'anomalo rapporto economico fra Stato e Chiesa, di sicuro la più presentabile, è proprio questa: in una formula, "soldi in cambio di servizi". Privilegi fiscali, esenzioni, pioggia di finanziamenti a vario titolo sono giustificati con la delega al mondo cattolico di quel "lavoro sporco" che lo Stato non vuole e non sa fare.

Il discorso è logico, ma lo scambio è diseguale. Lo Stato laico non ha nulla da guadagnare nell'ammettere la propria inettitudine. In più, si comporta, senza volere, come il più generoso dei benefattori: finanzia la carità cattolica quasi *in toto*, conservando un assoluto anonimato. Questo fa sì che la Chiesa guadagni consensi nelle zone più deboli e periferiche della società e lo Stato ne perda in proporzione, figurando agli occhi dei più svantaggiati soltanto in veste di persecutore burocratico e fiscale. Un metodo assai simile è adottato anche dall'Unione europea – altra istituzione in crisi di identità e di popolarità –, che ogni anno affida alla Caritas Internationalis e ad associazioni cattoliche, fra le quali spicca Comunione e Liberazione, la distribuzione gratuita ai poveri delle eccedenze alimentari. Emma Bonino, ai tempi in cui era commissaria europea, aveva ottenuto soltanto dopo una lunga battaglia che i pacchi di cibo e medicine distribuiti nelle aree di guerre – nell'ex Iugoslavia come in Medio Oriente – portassero la scritta dell'Unione europea, insieme alla sigla Caritas.

Come spesso accade, sono proprio alcuni intellettuali cattolici a rilevare l'assurdità di queste deleghe. Nella società spappolata dagli egoismi quale appare nel rapporto 2008 del Censis, secondo Giuseppe De Rita il ruolo di supplenza della Chiesa cattolica si è evoluto fino a conquistare il cuore dei rapporti sociali: il campo dell'appartenenza. "La Chiesa è ormai l'unica a capire che è con l'appartenenza che si fa sociale. Non si tratta soltanto di fornire servizi, ma anche accoglienza, valori di riferimento, identità. Un tempo, in Italia le classi di appartenenza erano molte. Se penso al Pci nelle regioni rosse, o ai grandi sindacati, alla rete delle case del popolo, alle cooperative, questo mondo è in gran parte scomparso, la mediatizzazione della politica ha cambiato i termini della questione. Oggi, se Veltroni vuol lanciare il Partito democratico pensa a un evento, ai gadget, alla comunicazione, ma non è la stessa cosa. Lo Stato italiano non ha mai saputo creare appartenenza e per questo non è in grado di fare politiche sociali efficaci, per quanto costose. I Comuni sono l'unica appartenenza politica degli italiani."

Non è un caso che siano proprio i Comuni, i sindaci, a entrare più spesso in conflitto con la supplenza del clero, per esempio nella vicenda dell'Ici. Ma non è paradossale che una società sempre più laicizzata affidi compiti così importanti al clero? "È vero che la religione cattolica in quanto tale è in crisi," è l'analisi di De Rita. "Le scelte individuali ormai prevaricano le indicazioni delle gerarchie. La vera forza della Chiesa non sta nel suo aspetto pubblico, mediatico, politico, negli interventi dei vescovi al telegiornale, per intenderci. Piuttosto, nell'essere rimasta l'unica organizzazione con un forte radicamento nei territori e una pratica sociale quotidiana." Ma il radicamento nel territorio e la pratica sociale quotidiana sono a carico dei contribuenti italiani.

Un'altra vera e propria cessione di sovranità si realizza nella versione estera dello "Stato sociale", la cooperazione internazionale. L'Italia arriva nel mondo della cooperazione tardi e male, alla fine degli anni settanta, quando la grande spinta di solidarietà si sta esaurendo, insieme all'illusione di poter applicare il modello del "piano Marshall" alle nazioni povere del pianeta. Nella prima metà degli anni ottanta, tuttavia, anche sull'onda dell'efficace campagna contro la fame nel mondo dei radicali, si ottengono buoni risultati. La proposta di destinare lo 0,7 per cento del Pil agli aiuti al Terzo mondo – come l'Italia si era impegnata a fare secondo la risoluzione Onu del 24 ottobre 1970 – rimane sulla carta. La pressione dell'opinione pubblica sensibilizzata dagli scioperi della fame di Pannella ottiene lo scopo di impegnare il governo per lo 0,33 per cento, per arrivare "in tempi coerenti" allo 0,7. Nei fatti, significa un'impennata di aiuti dalla quota di 1 miliardo e mezzo di dollari (prezzo del dollaro 2006) fino a quasi 6 miliardi nel 1989, picco massimo raggiunto. L'impegno umanitario degli italiani è molto richiesto nei paesi poveri, per varie ragioni. Gli italiani hanno fama di "brava gente", capace di mediare nei conflitti. In più, il nostro popolo dispone di un patrimonio unico nel sapere artigianale, nell'organizzazione di piccole-medie imprese e di distretti produttivi: esattamente quanto cercano le nazioni in via di sviluppo. La legge sulla cooperazione del 1987 era in anticipo sui tempi. Purtroppo è rimasta l'unica varata in Italia e non cambia da vent'anni. Due decenni in cui nel mondo è successo di tutto, dalla caduta del muro di Berlino all'11 settembre 2001, passando per rivoluzioni politiche e catastrofi immani.

L'aumento dei soldi per gli aiuti al Terzo mondo, gestito con la solita avvilente formula partitocratica, si è rivelato però l'occasione per ignobili speculazioni, scandali e ruberie politiche. Agli inizi degli anni novanta, la cooperazione italiana finirà nel calderone di Tangentopoli, in uno dei suoi capitoli più nauseabondi. In pochi anni, la pratica degli aiuti umanitari verrà di fatto liquidata. Gli stanziamenti italiani erano lievitati negli anni ottanta dai 665 milioni di dollari (prezzo corrente) del 1981 (0,11 del Pil) fino ai 4 miliardi 121 milioni di dollari del 1992 (0,37 del Pil), l'anno di Mani pulite. Con lo stesso ritmo sostenuto crollano negli anni novanta, il decennio successivo agli scandali, fino a un minimo di 1 miliardo 376 milioni di dollari del 2000 (corrispondente allo 0,09 del Pil, nel frattempo più che raddoppiato dall'81), per poi risalire molto lentamente fino ai 3 miliardi del 2006 (0,2 del Pil). In quell'anno, l'Italia figurava al diciannovesimo posto nel settore cooperativo fra le venti nazioni più ricche del mondo, secondo la classifica dell'istituto di ricerca statunitense Center for Global Development. Nel rapporto sulla cooperazione per lo sviluppo dell'OCSE, presentato il 14 febbraio 2008 a Parigi, l'Italia compare al penultimo posto fra le nazioni europee donatrici, seguita soltanto dalla Grecia.

Non è una gran consolazione, ma bisogna ammettere che nel frattempo tutto l'Occidente ha fatto un passo indietro. Svanite le utopie del Sessantotto e dintorni, caduta con il muro di Berlino la contrapposizione fra i due imperi, che spingeva Est e Ovest ad "arruolare" nel proprio campo i paesi poveri attraverso gli aiuti, ha trionfato infine una concezione egoistica e indifferente, accentuata dalle ideologie neoliberiste. Mentre la forbice fra nazioni ricche e povere aumentava, secondo i diversi studi, di dieci o venti volte, i governi occidentali si ritiravano in ordine sparso dalla frontiera della lotta alla fame e alla povertà nel Sud del pianeta. Lasciando il campo libero in Africa e Asia alle confessioni religiose, Islam e cattolicesimo, a scuole coraniche e missioni. Non è certo essenziale sapere in quale dio credono la donna o l'uomo che curano un bambino, lo sfamano, gli insegnano a leggere e a scrivere, ma non bisogna dimenticare che per la dottrina cattolica e per la musulmana l'azione sociale è secondaria rispetto all'indottrinamento. Il rovescio della medaglia del ritorno alla fede nei paesi poveri è il moltiplicarsi delle guerre di religione. Anche se si è trovato il modo di chiamarle con un altro termine: "conflitti etnici". Ma nell'ex Iugoslavia o nell'Iraq dei nostri giorni non esistono etnie diverse, piuttosto religioni "nemiche": serbi ortodossi contro cattolici croati e musulmani bosniaci; sciiti contro sunniti. Nella storia dell'impegno missionario, come sempre nella storia della Chiesa cattolica, sono state scritte pagine eroiche e meravigliose, accanto a capitoli di inaudita ferocia. Il più grande massacro della storia dell'umanità, la colonizzazione del Sudamerica, con oltre cento milioni di nativi americani sterminati, ha avuto nel cattolicesimo il suo fondamento ideologico. Non è stato un caso se proprio in America Latina è sorto come reazione il movimento cattolico più radicale, la teologia della liberazione.

Per chiudere, lascio la parola alla persona che per me incarna meglio i valori cristiani di solidarietà. Don Luigi Ciotti da quarant'anni si incarica di combattere, attraverso prima il Gruppo Abele e poi Libera, tutte le guerre che la politica ormai considera perse: contro la povertà, le mafie, le dipendenze, la legge non uguale per tutti, i ghetti carcerari, le periferie malsicure, le morti in fabbrica. Con il sostegno della Chiesa, ma non sempre. Fu processato in Vaticano quando da presidente della Lila sostenne che l'uso del preservativo per non trasmettere l'Aids era un atto d'amore cristiano. E ancora quando parlò dal palco di Cofferati davanti ai tre milioni del Circo Massimo. La sua è una testimonianza in primissima linea: "In quarant'anni ho imparato che una società felice è quella dove ci sono meno solidarietà e più diritti. La bontà da sola non basta, a volte anzi è un alibi per lasciare irrisolti i problemi. Questa bontà ci rende complici di un sistema fondato sull'ingiustizia, che poi delega a un pugno di volontari la cura delle baraccopoli perché non diano troppo fastidio. I volontari del Gruppo Abele, di Libera, cattolici o no, non hanno certo rimpianti per la vita che si sono scelti. Era tutto quanto volevamo fare. Ma non quanto potevamo fare. Si ha sempre l'impressione di rincorrere i problemi. La questione è reclamare più giustizia, non offrire come carità ciò che dovrebbe essere un diritto."

Per concludere

L'Unità d'Italia si è realizzata in buona misura contro la Chiesa cattolica. Non avrebbe potuto essere altrimenti. La presenza della Chiesa, il condizionamento della "doppia sovranità" – incarnata dalla natura di doppia capitale di Roma – erano e restano il principale ostacolo al pieno sviluppo del senso dello Stato fra i cittadini italiani. Ma sarebbe ora di sfatare il mito secondo il quale l'Unità d'Italia si sarebbe tradotta in un danno materiale enorme per la Chiesa. Un mito usato da Oltretevere per alimentare sensi di colpa e autorizzare la "questua". Al contrario, lo Stato italiano ha rappresentato in quasi centoquarant'anni la principale fonte di arricchimento della casta ecclesiastica. Basti pensare alle condizioni disastrose in cui versavano le finanze dello Stato pontificio alla vigilia del 1870, oberate com'erano da un debito pubblico enorme e dagli interessi da pagare ai banchieri francesi, in prima fila gli ebrei Rothschild. Nove mesi prima della breccia di Porta Pia, nel dicembre del 1869, in occasione del Concilio Vaticano I che lo avrebbe consacrato infallibile, Pio IX osservò: "Il papa sarà forse infallibile, ma è certamente fallito".

Il prezzo delle confische dei beni ecclesiastici varate dai governi liberali dopo il 1870 è stato ampiamente ripagato dal 1929. I Patti Lateranensi hanno costituito il modello che ha ispirato, almeno in Europa, tutti i successivi concordati fra Chiesa cattolica e stati nazionali, firmati da dittatori fascisti (peraltro di nascita e formazione cattolica): Benito Mussolini (11 febbraio 1929), Adolf Hitler (20 luglio 1933, subito dopo la presa dei pieni poteri), il portoghese Antonio de Oliveira Salazar (7 maggio 1940) e lo spagnolo Francisco Franco (27 agosto 1953).

La Chiesa ha rinnegato, con dolorosa riflessione, l'appoggio fornito all'avanzata del fascismo e del nazismo in Europa negli anni venti e trenta (per quanto il *Mein Kampf* non sia mai finito nell'Indice dei libri proibiti). Ma ha sempre lottato per conservare i principali frutti di quel "patto col diavolo", ovvero i concordati. Le ragioni di questo interesse sono evidenti per chi si sia preso il disturbo di leggere le clausole economiche degli accordi.

Il Concordato firmato l'11 febbraio 1929 dal cardinale Gasparri e da Benito Mussolini consisteva di tre documenti: un Trattato, il Concordato propriamente detto e una Convenzione finanziaria. La Convenzione comincia con un preambolo: "Il Sommo Pontefice, considerando da un lato i danni ingenti subiti dalla Sede Apostolica per la perdita del patrimonio di San Pietro, costituito dagli antichi Stati Pontifici, e dei beni degli enti ecclesiastici, e dall'altro i bisogni sempre crescenti della Chiesa pur soltanto nella città di Roma, e tuttavia avendo anche presente la situazione finanziaria dello Stato e le condizioni economiche del popolo italiano specialmente dopo la guerra, ha ritenuto di limitare allo stretto necessario la richiesta di indennizzo, domandando una somma, parte in contanti e parte in consolidato, la quale è in valore di molto inferiore a quella che a tutt'oggi lo Stato avrebbe dovuto sborsare alla Santa Sede medesima anche solo in esecuzione dell'impegno assunto con la legge 13 maggio 1871".

Quello che Pio IX considerava "lo stretto necessario" e che Mussolini si era impegnato a versare erano: 750 milioni di lire in contanti e consolidato italiano 5 per cento al portatore (col cupone scadente di lì a pochi mesi) del valore nominale di 1 miliardo di lire. Più dell'appannaggio annuo al papa di 3 milioni 225 mila lire l'anno che l'Italia avrebbe dovuto sborsare in virtù della Legge sulle Guarentigie, trascurando il fatto che era stata la Santa Sede a rifiutarla. Per dare un'idea più precisa di questo stretto necessario – 1 miliardo e 750 milioni –, bisogna ricordare che l'intero bilancio dello Stato italiano nel 1929 era di 20 miliardi di lire.

Con il Concordato, la Santa Sede ottenne anche il riconoscimento di Stato sovrano e privilegi di ogni sorta: l'esenzione dalle tasse sia per i cittadini che per le proprietà del Vaticano; l'esenzione dai dazi sulle merci d'importazione; l'immunità diplomatica e altri privilegi per i diplomatici vaticani e le rappresentanze estere accreditate presso la Santa Sede; la costruzione di una stazione ferroviaria nel Vaticano a spese dello Stato italiano; il permesso di installare una stazione radio; l'instaurazione dell'insegnamento religioso in tutte le scuole medie superiori statali e la rinuncia da parte dello Stato italiano al diritto di legiferare sull'istituto del matrimonio.

Non sono gli unici regali di Mussolini al Vaticano. Nel settembre 1935, il governo fascista aveva imposto una tassa speciale sui dividendi (rendite finanziarie), prima del 10 e poi del 20 per cento. All'inizio il Vaticano pagò; ma in seguito, con una circolare del 31 dicembre 1942, il ministero delle Finanze dispose di esentare la Santa Sede dal pagamento. All'epoca il Vaticano aveva importanti pacchetti azionari delle principali industrie italiane, fra le quali le Officine Reggiane, la Breda, il comparto aeronautico e altre fabbriche di armi. Dopo il Concordato, le finanze di San Pietro conobbero un tale stato di floridezza che lo stesso Mussolini ricorse a un prestito vaticano per lanciare la guerra in Etiopia.

Nell'assemblea costituente il Concordato, dopo laceranti discussioni, fu accolto nell'articolo 7 della Costituzione. Non è il caso qui di ripercorrere tutta la vicenda, sulla quale gli storici hanno scritto mille volumi. L'opposizione delle minoranze liberali, guidata da Piero Calamandrei, fu travolta dalla Realpolitik del Pci, alla ricerca di un compromesso con la Dc: siamo sempre, alla fine, il paese di Peppone e don Camillo. Nella vituperata Prima repubblica, tuttavia, alcuni "paletti" laici – come si usa dire oggi – avevano resistito. Il partito confessionale di governo, la Democrazia cristiana, aveva posto confini all'ingerenza delle gerarchie vaticane. Sempre, da De Gasperi in poi, aveva rifiutato di finanziare con i soldi pubblici le scuole e la sanità privata, che in Italia significa al novanta per cento: cattoliche. Con i limiti tanto spesso sottolineati, occorre tuttavia riconoscere ai due partiti-chiesa, Dc e Pci, di aver combattuto una difficile, faticosa e segreta battaglia contro i rispettivi "vincoli esterni": il Vaticano e l'Urss. Una battaglia tanto più coraggiosa perché inconfessabile davanti alla stessa base elettorale. In buona misura, anzi, condotta "contro" i propri militanti.

Se il Vaticano ha sempre potuto contare, nel mezzo secolo democristiano, sui servigi del "suo" uomo a Palazzo, Giulio Andreotti, è pur vero che i conflitti con politici democristiani non sono mancati. I due presidenti del Consiglio dai quali la Chiesa ha ottenuto meno sono stati due ferventi cattolici, Alcide De Gasperi e Romano Prodi. Vi fu un conflitto con Aldo Moro, presidente del Consiglio, dal dicembre 1962, quando il governo italiano applicò una tassa sui dividendi del 15 per cento aumentandola in seguito sino al 30 per cento. La lobby vaticana si scatenò per ottenere un'esenzione, come durante il fascismo, e riuscì a far cadere il governo. Quella volta però perse la battaglia. La proposta di legge di esenzione non fu mai presentata in aula dal nuovo governo, sempre presieduto da Moro. Figurarsi che cosa accadrebbe con un democristiano di oggi a Palazzo Chigi, con Pierferdinando Casini al posto di Moro e Fanfani. Il mancato guadagno da parte della Chiesa fu notevolissimo. Da una indagine governativa relativa alla vicenda, subito nascosta fra le pieghe dei dibattiti parlamentari, si apprese che la cifra di investimenti azionari del Vaticano a metà anni sessanta ammontava alla favolosa cifra di 90 miliardi di lire (l'equivalente, oggi, di 776 milioni di euro). Calcolo confermato il 23 febbraio 1968 dal ministro delle Finanze Preti durante un dibattito alla Commissione parlamentare per gli Affari esteri, quando affermò che la Santa Sede possedeva titoli azionari italiani per un valore di circa 100 miliardi (oltre a un imponente quantitativo di titoli di Stato e obbligazioni, non nominativi ed esentasse), con un dividendo che oscillava dai 3 ai 4 miliardi l'anno.

Nella lista dei politici democristiani "disobbedienti", non si può dimenticare Beniamino Andreatta. Il cattolicissimo, democristianissimo Andreatta è stato l'unico ministro dell'Economia nella storia repubblicana che abbia denunciato apertamente all'opinione pubblica le gravi responsabilità del Vaticano in uno scandalo finanziario, il crac del Banco Ambrosiano.

Ci voleva un presidente del Consiglio socialista, Bettino Craxi, per arrivare a una revisione del Concordato, nel 1984, che non soltanto non intaccava i privilegi economici della Chiesa ma li aumentava a dismisura con l'invenzione dell'otto per mille. Naturalmente, in cambio di qualche concessione formale al principio della laicità dello Stato, in modo da sbandierare il successo "riformista".

Con la caduta del muro di Berlino e l'avvento della Seconda repubblica, le cose, invece di migliorare, sono peggiorate. Nei sette anni di governi di centrodestra, come nei sette di governi di centrosinistra – dal 1994 al 2008 –, sono lievitati con costanza i privilegi economici della Chiesa, i finanziamenti alle scuole e alla sanità cattoliche, l'ingerenza dei vescovi nella vita pubblica e lo spazio occupato dalle gerarchie cattoliche nella tv di Stato. Il ritorno di Silvio Berlusconi al potere, per la terza volta, lascia poco spazio all'ottimismo, anche dal punto di vista della difesa dei valori laici. In campagna elettorale, il Cavaliere si è più volte prostrato davanti ai vescovi e in particolare a Camillo Ruini, chiedendone l'appoggio. In cambio di che cosa? Ha risposto Eugenio Scalfari, il 30 marzo 2008, a due settimane dal voto: "In cambio, è il Cavaliere che parla, Ruini avrà l'impegno del nuovo governo ad adottare tutti i provvedimenti chiesti dalla Chiesa in tema di coppie di fatto (mai), di procreazione assistita (abolirla), di eutanasia (*quod deus avertat*), di testamento biologico (come sopra), di aborto (moratoria e radicale riforma), di Corano nelle scuole (divieto), di insegnamento religioso (anche all'Università). Se c'è altro chiedetelo e 'aperietur' [...]. Ha sentito. Eminenza?".

All'analisi perfetta di Scalfari bisogna soltanto aggiungere un'osservazione: a ogni livello, locale, nazionale e internazionale, la Chiesa si è sempre mostrata nei fatti più interessata a mantenere intatti i privilegi economici che non i princìpi morali, piuttosto "trattabili". È la vecchia questione della "roba", sollevata da Ernesto Rossi. Prendiamo il monumentale dibattito sulle "radici cristiane" da inserire nel preambolo della Costituzione europea. A parte il papa, sono stati davvero pochi i gerarchi ecclesiastici che abbiano dedicato energie e attenzioni alla questione che ha tanto infervorato intellettuali, politici e media. Mentre sull'articolo 52 il lavoro è stato incessante. L'articolo 52 recita al comma 1: "L'Unione rispetta e non pregiudica lo status di cui godono negli Stati membri, in virtù del diritto nazionale, le chiese e le associazioni o comunità religiose". In sostanza, si blindano in questo modo i Concordati siglati dalla Chiesa con i singoli stati nazionali, quindi i privilegi economici.

In Italia era già avvenuto alla fine degli anni settanta. Mentre nel campo dei princìpi la Chiesa doveva subire le pesanti sconfitte nei referendum sul divorzio e l'aborto, la diplomazia vaticana otteneva un importante e assai sottovalutato successo sul piano economico: con una sentenza del 1978, la Corte Costituzionale sanciva infatti la natura di "trattato internazionale" del Concordato, e quindi l'impossibilità di sottoporlo a referendum popolare. Il Concordato è diventato una specie di dogma. Di fronte all'Onu, come all'Unione europea o allo Stato italiano, la diplomazia vaticana ha sempre osservato una linea assai pragmatica che monsignor Giovanni Lajolo, segretario per i rapporti della Santa Sede con gli Stati, sintetizza in una formula: "Ottenere sempre il riconoscimento della dimensione pubblica della libertà religiosa". La dimensione *pubblica*, non *privata*, della fede. Un concetto che porta dritto ai Concordati, ai doveri dello Stato nei confronti della religione come "dimensione pubblica": quindi, in sostanza, agli aiuti di Stato, ai finanziamenti, agli sgravi fiscali. Per me e per milioni di connazionali, il "riconoscimento della dimensione pubblica" del fatto religioso si traduce nell'obbligo di contribuire al mantenimento della Chiesa, nell'assurdo dovere di pagare di tasca mia una "tassa ecclesiastica". Anche se credevo di vivere in uno Stato laico.

Nello scrivere questo libro, mi sono ispirato all'atteggiamento pragmatico delle gerarchie ecclesiastiche. Ho insomma tralasciato le questioni di principio sulla laicità per concentrare l'attenzione sul solo aspetto dei privilegi economici. Sono convinto del principio che uno Stato o è laico o non è democratico. Da questo punto di vista, concordo, punto per punto, con l'analisi di un grande costituzionalista, Sergio Lariccia, sui motivi per i quali l'Italia non può essere definita una piena democrazia nella tutela della libertà di religione: "Perché: 1. non è garantito il principio di laicità delle istituzioni repubblicane; 2. non è garantita l'uguaglianza dei cittadini e delle confessioni religiose davanti alla legge; 3. non è garantita l'eguale libertà delle confessioni religiose, giacché, come aveva giustamente osservato Lelio Basso nella relazione della proposta di modifica costituzionale presentata in parlamento il 27 febbraio 1972, l'eguale libertà delle confessioni religiose risulta violata ogni qual volta ad una confessione religiosa sia offerta 'la possibilità di una esplicazione più accentuata di libertà' e la libertà si trasformi dunque in *privilegio* (in violazione della costituzione italiana e dei princìpi del Concilio Vaticano II: ricordo in particolare il par. 76 della costituzione conciliare *Gaudium et spes*); 4. non sono garantite, anche dopo la stipulazione del concordato di Villa Madama del 18 febbraio 1984, le libertà di religione e verso la religione di moltissimi italiani, credenti e non credenti, bambini e adulti, donne e uomini, alunni e insegnanti, dentro la scuola e fuori della scuola; 5. non è garantita l'eguaglianza tra credenze religiose e credenze filosofiche e tra confessioni religiose e organizzazioni non confessionali e filosofiche; 6. sono tuttora previsti, in materia religiosa, controlli esercitati da giudici, come quelli del consiglio di Stato, che non hanno competenze in materia di diritti soggettivi, mentre in tale materia sussistono, garantiti della costituzione, diritti costituzionali e dunque diritti, non interessi legittimi".

Eppure, mi sono concentrato sull'aspetto concreto, sulla "roba", perché credo che stia qui il cuore del problema, il nodo da sciogliere. È stato anche un modo per non cadere nell'ideologia, nell'anticlericalismo di maniera. Rispetto la fede e non identifico le gerarchie, soprattutto quelle abituate a maneggiare affari e politica, con i valori del cattolicesimo. Dopo tutto, non è difficile da dimostrare che dai tempi di Giuda Iscariota fino a Paul Marcinkus, passando per Sindona e Calvi, i discepoli cui era stata affidata la "cassa" non hanno quasi mai ripagato la fiducia che era stata riposta in loro. È però sospetto il fastidio (e la censura) con cui la Chiesa reagisce ogni volta che si toccano gli aspetti materiali dei suoi privilegi. Non sono certo i tempi opportuni, visto il clima culturale dominante nel paese, per riproporre la questione. Ma quando mai lo sono stati, in Italia?

Se si mantiene il punto di vista economico, il quadro diventa più chiaro. L'azione concreta dei governi nei confronti dei privilegi economici ecclesiastici costituisce, assai più delle enunciazioni di principio, un indicatore infallibile del grado di riformismo. Nell'ultimo secolo di storia, sempre le grandi forze riformiste in Europa hanno messo in dubbio e ridotto nei fatti i privilegi economici di cui gode la Chiesa; sempre i regimi reazionari li hanno aumentati. Nel primo caso, tanto più li hanno ridotti, quanto più erano progressisti. Nel secondo, tanto più li hanno accresciuti, quanto più erano retrivi. A questo punto, rimane soltanto da chiedersi se in Italia sia ancora mai apparsa una grande forza riformista e modernizzatrice, al di là degli slogan.

Ma se un giorno batterà un colpo, il primo sarà alle porte del Vaticano.

Nota dell'autore

Sono molte le letture e le fonti utilizzate per l'inchiesta sui costi della Chiesa, ma due contributi sono stati fondamentali e provengono entrambi dal mondo cattolico. Innanzitutto, *Finanza bianca. La Chiesa, i soldi, il potere* (Mondadori, 2004) di Giancarlo Galli, straordinario e acuto diario sull'universo della finanza cattolica, con una lunga testimonianza diretta del presidente dello Ior, Angelo Caloia. Quindi, l'appassionato pamphlet *Chiesa padrona. Strapotere, monopolio e ingerenza nel cattolicesimo italiano* (Piemme, 2006) di Roberto Beretta, collaboratore dell'"Avvenire".

In molti capitoli ho usato fonti dirette di documenti della Cei, e in particolare i siti ufficiali della Conferenza episcopale italiana (www.chiesacattolica.it e www.8xmille.it).

Per la parte sulla cooperazione internazionale nel capitolo sulla carità, ho attinto all'ottimo lavoro di un giovane ricercatore napoletano, William Bellisario.

Nella stesura del capitolo su Roma, sono stato aiutato dall'amico e collega di "Repubblica" Filippo Ceccarelli.

Ringrazio infine Vittorio Messori per i consigli preziosi e intelligenti, anche quelli che non ho seguito.

Tabelle

Come viene speso dalla Chiesa l'8 per mille

dati in mln di euro

	1990	1991	1992	1993	1994	1995	1996	1997	1998	1999	2000	2001	2002	2003	2004	2005	2006	2007
edilizia di culto	15	23	26	30	38	65	74	77	73	76	54	83	120	130	130	130	117	117
culto e pastorale	4	9	9	10	15	36	74	80	69	111	58	80	92	122	92	116	64	87
beni culturali							52	52	41	62	3	26	50	50	70	70	63	68
carità	2	4	4	3	5	5	5	5	4	4	7	16	30	30	30	30	30	30
interventi nazionali	**21**	**37**	**40**	**43**	**58**	**106**	**205**	**214**	**188**	**253**	**122**	**205**	**292**	**332**	**332**	**346**	**274**	**302**
culto e pastorale	18	23	23	31	33	46	118	118	118	118	118	134	150	150	150	155	155	160
carità	10	15	15	21	21	31	68	68	668	68	65	69	75	75	80	85	85	90
diocesi italiane	**28**	**38**	**38**	**52**	**54**	**77**	**186**	**186**	**186**	**186**	**183**	**203**	**225**	**225**	**230**	**240**	**240**	**250**
Terzo mondo	**15**	**26**	**28**	**30**	**39**	**65**	**72**	**72**	**62**	**65**	**54**	**65**	**70**	**80**	**80**	**80**	**80**	**85**
sacerdoti	**145**	**108**	**103**	**177**	**212**	**201**	**287**	**241**	**249**	**250**	**643**	**290**	**308**	**330**	**320**	**315**	**336**	**354**
ASSEGNAZIONI TOTALI	210	210	210	303	363	449	751	714	686	755	643	763	910	1016	952	984	930	991

Fonte: Cei

Destinazione dell'8 per mille

dati in percentuale

1990

interventi nazionali	diocesi italiane	Terzo mondo	sacerdoti
10,0	**13,3**	**7,7**	**69,0**

edilizia
di culto 7,1

culto e
pastorale 8,6

culto e
pastorale 1,9   carità 4,8

carità 1,0

2007

interventi nazionali	diocesi italiane	Terzo mondo	sacerdoti
30,5	**25,2**	**8,6**	**35,7**

edilizia di culto 11,8

culto e pastorale 8,8

beni culturali 6,9

carità 3,0

culto e pastorale 16,1

carità 9,1

Fonte: Cei

Ripartizione del gettito derivante dall'otto per mille dell'Irpef

riferito ai redditi del 2003, dichiarati nel 2004, ripartito nel 2007

SCELTE ESPRESSE SUL TOTALE DEI CONTRIBUENTI		FONDI DERIVANTI DA SCELTE ESPRESSE DAI CONTRIBUENTI e relativa percentuale	FONDI DERIVANTI DA SCELTE NON ESPRESSE E RIPARTITE IN BASE ALLA % DELLE SCELTE ESPRESSE		TOTALE DEI FONDI ATTRIBUITI (MILIONI DI EURO)	
36,70	Chiesa cattolica	362,423	524,565		886,989	89,81%
3,16	Stato	31,234	54,670		85,904	7,74%
0,58	Chiesa evangelica Valdese	5,770	0		5,770	1,43%
0,15	Unione delle Comunità ebraiche italiane	1,493	2,161		3,654	0,37%
0,11	Chiesa evangelica luterana in Italia	1,049	1,568		2,567	0,26%
0,08	Assemblea di Dio in Italia	0,766	0		0,766	0,19%
0,08	Unione italiana delle Chiese cristiane avventiste del 7° giorno	0,807	1,168		1,975	0,20%
TOTALE 40,86		403,545	584,043		987,628	

a cui vanno aggiunti 104,289 come conguaglio per il 2004 per un totale di 991,276

% — 40,86 SCEGLIE — 59,14 NON SCEGLIE

200

GLI AIUTI DELLA CEI
Ogni anno dalla quota
dell'8 per mille destinata
alla Cei, circa 200 milioni
di euro utilizzati per opere
di carità in Italia e all'estero

28

AFRICA E OPUS DEI
L'Opus Dei cura in Africa
28 progetti di solidarietà per
una spesa di circa 1milione
di euro all'anno raccolti tra
iscritti e simpatizzanti

1.000.000

I MISSIONARI
È di circa un milione la
forza-lavoro dei missionari
cattolici nei paesi del Terzo
mondo: 800 mila donne e
200 mila uomini

Andamento percentuale degli interventi caritativi sul totale dei finanziamenti dell'otto per mille

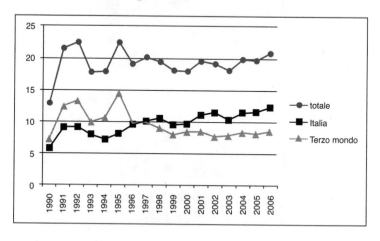

Le proprietà immobiliari della Chiesa

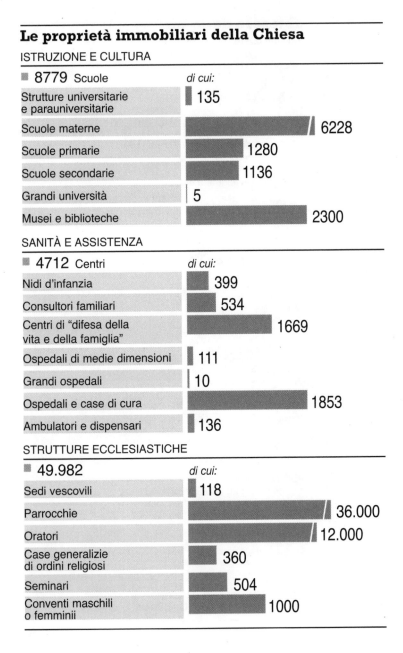

ISTRUZIONE E CULTURA

■ 8779 Scuole   *di cui:*

Strutture universitarie
e parauniversitarie   135

Scuole materne   6228

Scuole primarie   1280

Scuole secondarie   1136

Grandi università   5

Musei e biblioteche   2300

SANITÀ E ASSISTENZA

■ 4712 Centri   *di cui:*

Nidi d'infanzia   399

Consultori familiari   534

Centri di "difesa della
vita e della famiglia"   1669

Ospedali di medie dimensioni 111

Grandi ospedali   10

Ospedali e case di cura   1853

Ambulatori e dispensari   136

STRUTTURE ECCLESIASTICHE

■ 49.982   *di cui:*

Sedi vescovili   118

Parrocchie   36.000

Oratori   12.000

Case generalizie
di ordini religiosi   360

Seminari   504

Conventi maschili
o femminii   1000

Il tesoro dello Ior

(Istituto opere religiose)

5 i miliardi di euro di depositi (secondo le stime)

Tutti i depositi e i passaggi di denaro avvengono con:
- bonifici
- contanti
- lingotti d'oro

12% Gli interessi annui minimi

Il tesoro del Vaticano

407 mila il prodotto interno lordo pro capite in dollari

Solo negli Stati Uniti
la Chiesa cattolica possiede:

298
mln di dollari in: TITOLI

273
mln di dollari in: JOINT VENTURE
con partner Usa
(stime Fed - 2002)

195
mln di dollari in: AZIONI

102
mln di dollari in: OBBLIGAZIONI
A LUNGO TERMINE

Ore di religione/etica

in diversi paesi europei

	scuola primaria	scuola superiore
ITALIA	67	38
BELGIO	61	61
GERMANIA	56	56
SPAGNA	52	52
AUSTRIA	60	60
NORVEGIA	57	62
POLONIA	56	56
DANIMARCA	40	20
GRECIA	35	52
PORTOGALLO	10	30
FRANCIA	no	no
REGNO UNITO	no	no
SVEZIA	no	no
OLANDA	no	no
BULGARIA	no	no

Gli insegnanti di religione
nelle scuole statali italiane

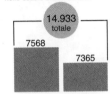

14.933 totale

7568

7365

Le regioni con più docenti di religione
(numero di insegnanti)

1816 Lombardia

1546 Lazio

2243 Campania

1678 Sicilia

I numeri

650 milioni di spesa gli stipendi nel 2001

92% l'adesione degli studenti all'ora di religione secondo la Cei

5,4% il tasso di rinuncia all'ora di religione alle elementari

15,4% il tasso di rinuncia alle superiori (punte del 50% in Toscana ed Emilia Romagna)

165

La top ten italiana dei pellegrinaggi

Dati in milioni

1
BASILICA DI SAN PIETRO
Vaticano

7

2
SAN PIO DA PIETRELCINA
San Giovanni Rotondo

6

3
BASILICA DI SAN FRANCESCO
Assisi

5,5

4
SANTUARIO MADONNA DI LORETO
Loreto

4,5

5
SANTUARIO MADONNA DEL ROSARIO
Pompei

4,2

6
BASILICA DI S. ANTONIO
Padova

4

7
SANTUARIO MADONNA DELLE LACRIME
Siracusa

3,5

8
SANTUARIO MADONNA DI MONTE BERICO
Vicenza

2,5

9
S. VITALE, S. APOLLINARE
Ravenna

2,3

10
SANTUARIO MADONNA DI S. LUCA
Bologna

900
mila

I luoghi di culto più visitati nel mondo

MADONNA DI GUADALUPE
Città del Messico

10

LOURDES
Francia

8

LUOGHI SANTI
Gerusalemme

6

SANTUARIO DI FATIMA
Portogallo

4,5

SANTIAGO DI COMPOSTELA
Spagna

4,5

166

Aiuti italiani allo sviluppo

	APS aiuto pubblico allo sviluppo in milioni di dollari (prezzo corrente)	PIL prodotto interno lordo in milioni di dollari (prezzo corrente)	APS in % al PIL
1980	683,28	529.000,87	0,13
1981	665,54	584.000,53	0,11
1982	810,75	622.000,70	0,13
1983	833,68	654.000,89	0,13
1984	1132,83	701.000,40	0,16
1985	1097,98	743.000,16	0,15
1986	2403,46	781.000,46	0,31
1987	2615,33	828.000,67	0,32
1988	3192,84	893.000,04	0,36
1989	3613,30	958.000,33	0,38
1990	3394,96	1.015.000,83	0,33
1991	3347,24	1.067.000,47	0,31
1992	4121,92	1.100.000,49	0,37
1993	3043,36	1.115.000,78	0,27
1994	2704,63	1.163.000,82	0,23
1995	1622,66	1.221.000,13	0,13
1996	2415,52	1.262.000,07	0,19
1997	1265,55	1.299.000,72	0,10
1998	2278,31	1.363.000,46	0,17
1999	1805,72	1.392.000,79	0,13
2000	1376,26	1.473.000,99	0,09
2001	1626,95	1.528.000,03	0,11
2002	2332,13	1.570.000,17	0,15
2003	2432,85	1.570.000,71	0,15
2004	2461,54	1.614.000,00	0,15
2005	5090,90	1.644.000,34	0,31
2006	3641,08	1.704.000,43	0,21

Indice dei nomi

Indice

Stampa Grafica Sipiel
Milano, maggio 2008